NARR

Cécile Pivot

Le lettere di Esther

Traduzione di Angelo Molica Franco

Rizzoli

Pubblicato per

Rizzoli

da Mondadori Libri S.p.A.
Proprietà letteraria riservata
© 2020 Calmann-Lévy
Published by arrangement with The Italian Literary Agency
© 2022 Mondadori Libri S.p.A., Milano

ISBN 978-88-17-15874-9

Titolo originale dell'opera:
LES LETTRES D'ESTHER

Prima edizione: gennaio 2022

Realizzazione editoriale: Librofficina

Le lettere di Esther

Per i miei genitori

ESTHER

Niente è andato come avevo immaginato. Avrei dovuto intuirlo dopo il nostro incontro a Parigi, l'unica volta in cui ci siamo visti di persona. Non si erano iscritti al mio laboratorio di scrittura epistolare perché li aiutassi a esprimersi meglio. O almeno, non soltanto. Quel laboratorio era la loro ancora di salvezza, ciò che li avrebbe salvati dall'incomprensione, da un lutto che non stavano affrontando, da una vita in stallo, da un amore messo a dura prova. Quando me ne sono resa conto ormai era tardi, ero già sprofondata nell'intimità delle loro storie. A dirla tutta, però, dopo la morte di mio padre, non è stato anche per me un'ancora di salvezza?

Mi sono sopravvalutata. Ho pensato che avrebbero desiderato corrispondere con me, lo ha voluto solo Jean; che avrei saputo dare prova di fermezza, non ha funzionato con Samuel; che sarebbero stati avidi dei miei consigli, invece mi ascoltavano distratti, avevano altre gatte da pelare.

Non ricordo quando ho deciso di riunire le nostre lettere per farne un libro. Forse dopo l'esercizio sui monologhi. A parte Juliette, che ha esitato prima di accettare,

Jeanne, Samuel, Jean e Nicolas mi hanno dato il loro consenso senza remore, purché non comparissero i loro veri nomi. Non Samuel, lui ha voluto conservare il proprio.

In vista della pubblicazione ho sistemato le lettere, le ho limate, per così dire, ma cercando di preservarne lo stile. Samuel se ne frega delle ripetizioni, Juliette ha difficoltà a usare i connettivi (forse come riflesso dei suoi problemi a connettersi con il passato?), Nicolas ha il suo modo schietto (lo stesso che adotta nella vita di tutti i giorni), a Jeanne piacciono le interiezioni, a Jean gli avverbi.

Per una maggiore leggibilità, prima di ogni lettera ho precisato i nomi del mittente e del destinatario.

Ho voluto che questo libro si chiudesse con il più giovane, Samuel. A lui l'ultima parola. Per prima cosa, perché ho apprezzato l'intelligenza intuitiva e la sensibilità che trasparivano dalla sua scrittura. E poi perché sotto certi aspetti io e lui ci somigliamo. Non riuscivamo a rassegnarci alle nostre perdite e un assurdo senso di colpa ci pesava sulle spalle. Ma soprattutto, perché nessuno poteva prevedere che nel giro di qualche mese sarebbe cambiato così, che si sarebbe riappropriato della sua vita con tanto slancio e generosità. Anche Jean, però, è stato capace di cambiare il corso della sua esistenza. Voglio credere che il laboratorio sia stato il loro migliore alleato. Che sia arrivato al momento giusto.

Sono Esther Urbain e ho quarantadue anni.

L'ANNUNCIO

Non ero scrittrice né docente. Ma dovevo rassicurare gli allievi sulla mia preparazione. Contavo di chiamare in causa la mia esperienza di curatrice di carteggi, citare *Autoritratto. Lettere 1945-1984* di François Truffaut e le *Lettere a Lou* di Guillaume Apollinaire, le mie preferite. Parlare, anche, dei laboratori che organizzavo nella mia libreria, C'est à Lire, con alcuni autori del posto, di sera dopo la chiusura. Con un argomento come la scrittura epistolare, temevo di attirare solo vecchi sconsolati, che avrebbero approfittato dell'occasione per riesumare da un cassetto la loro carta da lettere ingiallita e snocciolare ricordi, senza preoccuparsi dello scambio con l'altro.

Avevo un'idea abbastanza precisa del modo in cui volevo funzionasse il mio laboratorio. Il 5 gennaio 2019, l'annuncio che avevo pubblicato qualche giorno prima sul sito della libreria è apparso su quattro quotidiani regionali. Questa «offerta in abbinata» mi era stata proposta dalla sezione pubblicità della «Voix du Nord», quando li avevo chiamati, per ottenere maggiore visibilità. «Vuoi imparare a dar forma ai tuoi pensieri, raccontare una storia e parlare delle tue emozioni? Iscriviti al mio laboratorio di scrittura epistolare. Non è richiesta la presenza e potrai partecipare comodamente da casa. Dal 4 febbraio al 3 maggio 2019.»

Ho ricevuto una ventina di richieste. I candidati erano di tutte le età, più uomini che donne. Mi sono presentata a ciascuno di loro con le medesime parole: Esther Urbain, libraia di Lille, curatrice editoriale e correttrice di bozze specializzata in carteggi. Li ho anche avvertiti che si trattava del mio primo laboratorio e che il mio ruolo sarebbe stato lavorare insieme a loro sui testi, rispettando la personalità di ognuno e aiutandoli soprattutto a scegliere le parole giuste e a conferire ritmo alle frasi. Da qui, la necessità di accedere alle loro lettere. Il mese successivo era previsto un incontro a Parigi, probabilmente l'unico, dato che contavo di sentirli per telefono o mail dopo ogni lettera.

La richiesta più insolita è arrivata da una psichiatra di Parigi, Adeline Montgermon. Dopo avermi fatto delle domande sullo svolgimento del laboratorio e sulle mie referenze, mi ha parlato di una sua paziente.

«Soffre di depressione post-partum. Sa di cosa si tratta?»

«Più o meno. Non è come...»

Parlava veloce. Era una domanda di circostanza, la sua, non le interessava davvero cosa dicevo. Avrebbe sempre fatto così con me.

«Proverò a spiegarlo brevemente. Tra l'altro se l'argomento le interessa posso consigliarle dei libri. Lei è una libraia, no? Comunque, la chiamano anche depressione postnatale. È una depressione grave causata da molteplici fattori. E nuoce al legame affettivo tra madre e neonato.

Quella della mia paziente, che ha trentotto anni, le è stata diagnosticata quando la piccola aveva cinque mesi. Inizialmente è stata ricoverata in un ospedale psichiatrico. Ora invece è l'unità di maternologia a seguire lei e sua figlia più giorni a settimana. È lì che l'ho conosciuta, io fornisco i consulti psichiatrici. La bambina adesso ha otto mesi e mezzo e le condizioni della madre restano preoccupanti. Purtroppo il suo ritorno a casa è stato prematuro.»

Ho avvertito una punta di irritazione nella voce di Adeline Montgermon. Probabilmente non condivideva la decisione di dimetterla dall'ospedale psichiatrico.

«La signora afferma che il marito non l'ha sostenuta quando è tornata a casa. È regredita a uno stadio di fragilità estrema, come dopo il parto, e sono riapparse le sue angosce. Li ho ricevuti entrambi qualche giorno fa. La paziente ha manifestato la volontà di lasciare l'appartamento di famiglia per vivere da sola a tempo indeterminato. Senza il marito e senza la figlia. Era evidente che lui non se lo aspettava.»

«Non ne avevano parlato prima di venire da lei?»

«No. Voleva dirglielo nel mio studio. La mia paziente non riesce a esprimersi, a dire cosa pensa. È molto vulnerabile. Lui subisce da mesi i suoi attacchi d'ansia e di panico. Fa quello che può. Gli è difficile aiutarla. Non riesce ad accettare quanto sta succedendo alla moglie. Gli ho proposto di consultare un mio collega, ma ha rifiutato categoricamente. È un peccato, ma non mi preoccupo troppo. È uno strutturato. Solo il tempo dirà se si tratta di una separazione temporanea o definitiva. Malgrado le difficoltà di comunicazione la coppia è solida. Gli ho suggerito di approfittare di questo periodo di distacco per scriversi delle lettere. Se devo essere sincera non so quanto possa essere utile. Però mi sono detta che almeno proveranno ad ascoltarsi in modo diverso. O semplicemente ad ascoltarsi, cosa di cui oggi sono incapaci. Così ho trovato il suo annuncio…»

«Ma non ha bisogno di…»

«È capitato a proposito, capisce? Perché temo che la mia paziente interrompa qualsiasi tipo di dialogo alla minima difficoltà o contrarietà. Sarei più tranquilla se scrivesse all'interno di un laboratorio, per di più tenuto da una donna.»

«Cosa si aspetta di preciso da me?»

«Che li faccia partecipare al suo laboratorio.»

«Non so che dire. È una questione delicata, io non sono una psicologa e…»

«Lo so, lo so. Dovrà trattarli come tutti gli altri. Da parte mia io continuerò a seguire la paziente.»

«Sarà come immischiarmi nelle loro faccende private…»

«… Proprio come con gli altri partecipanti. Ma non sarà un suo problema. Di questo non deve preoccuparsi. Sono consapevole che richiederà del tatto da parte sua.»

«Dubito che gli importerà qualcosa dei miei consigli di scrittura.»

«Io ritengo che valga la pena di provare.»

La dottoressa Montgermon insisteva. Alla fine ho ceduto e ho detto sì.

I loro nomi li ho scoperti al momento dell'iscrizione, qualche giorno dopo. Juliette e Nicolas Esthover mi hanno inviato due mail distinte a qualche ora di distanza. Facevano il nome della dottoressa Montgermon, senza aggiungere molto altro. Poi si sono presentate altre quattro persone. Jean Beaumont, un uomo d'affari che passava la vita a viaggiare; Alice Panquerolles, ipnoterapeuta di Lione; Samuel Djian, un ragazzo che si è limitato a un «Dovendo trovare qualcosa da fare, mi sono detto perché non il suo laboratorio?»; Jeanne Dupuis, la più entusiasta, che dalla voce non doveva essere giovanissima. Avevo sperato saremmo stati di più. Nessuno – avevo constatato, stupita – parlava di voler scrivere un libro né aveva un manoscritto a riposo da qualche parte. Non è forse la motivazione principale di chi partecipa a un corso di scrittura? Forse, trattandosi di lettere, le aspettative cambiano. Chissà in che misura.

Decidere di comune accordo il giorno, l'ora e il posto dove incontrarci a Parigi non fu facile. Solo Jeanne Dupuis non poneva condizioni. Era libera come l'aria, mi aveva detto al telefono, ridendo. Jean Beaumont mi aveva avvisato di non poter essere dei nostri, trovandosi in trasferta. Alla fine concordammo per il 31 gennaio, alle 18.30 all'Hoxton, un hotel-ristorante alla moda nel quartiere Sentier, con un cortile interno, un giardino d'inverno e diversi salottini. Mi era stato consigliato da mio cugino Raphaël. Ne ho anche approfittato per passare due giorni da lui, che abitava non lontano da lì.

Prima dell'incontro mandai una mail ai sei partecipanti, chiedendo di riflettere su una domanda: «Da che cosa ti difendi?». Se ne avessero avuto voglia, avrebbero risposto brevemente di fronte agli altri. Mi piace questa domanda, perché sono convinta che tutti noi ci difendiamo da qualcosa. E anche perché lascia grande libertà a chi risponde. Si può essere evasivi, ricorrere a luoghi comuni oppure, al contrario, rivelare una parte intima di sé.

DA CHE COSA TI DIFENDI?

nico-esthover@free.fr, juju-esthover@free.fr,
jeanne.dupuis5@laposte.net,
jean.beaumont2@orange.com,
samsam-cahen@free.fr

Oggetto: Benvenuti nel nostro laboratorio

Buongiorno a tutti,
sono stata molto felice di conoscervi venerdì scorso.
Non è facile, in questo genere di riunioni dove ci si incontra per la prima volta, sentirsi subito a proprio agio con gli altri. È per questo che vi ringrazio di aver risposto alla domanda «Da che cosa ti difendi?». Lo avete fatto con grande franchezza. Più in basso trovate un riassunto di quanto abbiamo convenuto e, in allegato, la foto di Jean Beaumont che, come sapete, non ha potuto essere presente. Allo stesso modo, Jean ha ricevuto le foto degli altri partecipanti.
È previsto che ognuno abbia due corrispondenti. Potete prendere da voi l'iniziativa o aspettare che qualcuno vi

scriva. In questo caso, però, mettete in conto il rischio di restare da soli.

Se ricevete una lettera ma non volete iniziare la corrispondenza, per favore fatelo sapere il prima possibile.

Consiglio a tutti di darsi del tu. Aiuterà a rompere il ghiaccio.

Per tutta la durata del laboratorio, vi chiedo di comunicare tra di voi solo per lettera.

Se possibile, tenete una cadenza regolare ed evitate di far passare troppi giorni prima di rispondere.

Ricordo a tutti che nella prima lettera dovrà figurare la risposta che durante il nostro incontro a Parigi avete dato alla domanda «Da che cosa ti difendi?». (Quindi dovrete scriverla due volte, poiché avrete due corrispondenti.)

Chiunque lo vorrà potrà scegliere anche me come destinataria.

Al fine di affiancarvi e aiutarvi a progredire nella scrittura, vi chiedo di trasmettermi una copia di ogni lettera. Siamo rimasti che Juliette, Jean e Samuel mi invieranno per mail gli screenshot, mentre da Nicolas e Jeanne riceverò per posta delle fotocopie. Non appena mi giungeranno, telefonerò (a Jeanne, Juliette, Nicolas, Samuel) o scriverò una mail (a Jean) per darvi il mio riscontro.

Più tardi, vi sottoporrò tre esercizi.

Mi raccomando, ricordate che non sono qui per giudicare i vostri sentimenti o i vostri punti di vista, ma per aiutarvi a migliorare nella scrittura.

Se avete delle domande, sono ovviamente a vostra

disposizione. Avete il mio numero, la mail e il mio indirizzo.

Il laboratorio si concluderà intorno al 3 maggio 2019.

Cari tutti, oggi, lunedì 4 febbraio 2019, dichiaro aperto il nostro laboratorio!

A prestissimo,

Esther Urbain

<u>Jeanne a Samuel</u>

Verjus-sur-Saône,
6 febbraio 2019

Caro Samuel,
spero non ti dispiaccia troppo ricevere una lettera da parte mia. Ho scelto te perché la compagnia dei giovani mi manca. Ma non me la prenderò se non mi risponderai. Alla tua età, scrivere a una persona anziana non deve essere una prospettiva molto entusiasmante.

Quando insegnavo pianoforte passavo buona parte delle mie giornate con i giovani, ma adesso, ahimè, non do più lezioni. Se avessi avuto dei nipoti, la mia vita sarebbe stata diversa. Però non preoccuparti, eh, non conto di fare di te un sostituto. È andata così e lo accetto. D'altra parte, è strano, le persone che usano frasi fataliste del tipo «accetta la tua sorte» o «questo è il tuo destino» mi esasperano, eppure succede anche a me di parlare così, anche se non condivido nemmeno una parola. Non ho nipoti, è una cosa che mi manca, lo trovo ingiusto. Ecco, l'ho detto! Adesso non mi crederai se ti confido che non soffro di solitudine, però è vero. Ho degli amici, molti animali, faccio tante cose e — parola mia — vivere da soli ha i suoi lati positivi.

Come ti è sembrato il nostro incontro? Io ho sentito un po' di disagio. Osavamo appena guardarci, o sorriderci. Mi ha ricordato il primo giorno di scuola, quando con gli altri compagni ci si guarda di sfuggita chiedendosi con chi si farà amicizia. Con mio grande stupore, quando Esther ci ha chiesto di rispondere ad alta voce alla domanda «Da che cosa ti difendi?», tutti abbiamo messo a nudo sentimenti molto personali. Tu, per esempio, hai detto che ti difendi «dalla voglia di spaccare tutto». Ma come? Hai un'intera vita davanti, sembri intelligente, a posto, e per giunta sei un bel ragazzo. Perché quella risposta?, mi sono chiesta. Sei arrivato in ritardo, un po' controvoglia, come costretto. Gli occhi incollati al telefonino. Ma almeno ci hai guardati? Non prenderlo come un rimprovero. Mi sono detta che non fossi lì per tua scelta. Quanto a me, probabilmente non ti ricordi, ma ho risposto che mi difendo «dalla rabbia». Sono stata così franca che ho temuto di risultare spiacevole. Ma poiché tutti abbiamo toccato le stesse corde, così cupe e inquietanti (che strano, se ci penso!), mi sono unita allo stato di sconforto generale.

Spero che mi risponderai, ne sarei davvero
felice.
Un caro saluto,
Jeanne

Jeanne posa la matita. Rileggerà la lettera più tardi. Si
chiede se non sia troppo diretta, se non dovrebbe ammor-
bidire il tono. È convinta che Samuel abbandonerà il laboratorio al minimo inconveniente o se solo gli richiederà
uno sforzo. Forse non appena terminato l'incontro aveva
già deciso di non voler avere niente a che fare con loro.
Seduta all'Hoxton, Jeanne l'ha visto arrivare da lontano.
Non ha capito subito che si trattava del giovane che aspettavano. Loro erano già seduti in fondo alla prima sala,
vicino al bar. Dopo aver varcato l'ingresso si è fermato
di colpo. La felpa con il cappuccio tirato su, i jeans e le
scarpe da tennis bianche. Era chiarissimo: non era uno
che bazzicava posti di quel tipo. Affascinato dall'arredo
lussuoso, stava sulla difensiva e non osava guardarsi attorno. Con tanto di giardino d'inverno, un giardino verticale
e un labirinto di corridoi interni, quel palazzo del XVIII
secolo considerato monumento storico può intimidire. Lo
stesso vale per la gente che lo frequenta. Donne e uomini
d'affari si danno appuntamento lì per parlare di cultura
digitale, media, comunicazione e sviluppo sostenibile; parigini e turisti modaioli ci vengono a bere cocktail e ap-
pendere alla sedia marsupi e accessori fashion di Prada,
Dior, Vuitton o Gucci. Un piccolo mondo chiuso e plate-
almente disinvolto.

Se non fosse stato per il suo amico Luc, il proprietario del bar dove va tutte le mattine a bere il caffè, Jeanne non avrebbe mai saputo nulla dell'annuncio di Esther su «Le Progrès». Lui trovava *strange* l'idea di un corso sulla scrittura epistolare. Sentiva odore di truffa. Quella mattina, Jeanne non ha fatto commenti sulla sua brutta abitudine di usare termini inglesi. Di fronte a tipi suscettibili come Luc ha imparato a mordersi la lingua all'occorrenza. Quando ha preso nota dell'annuncio, lui le ha consigliato di diffidare, pur sapendo che non lo avrebbe ascoltato. Jeanne ha la testa dura. Costruttori e agenti immobiliari hanno messo gli occhi su casa sua da un bel po'. Disposti a pagarla il doppio del prezzo di mercato, «È un'occasione da non perdere, Madame Dupuis». Pronti ad aiutarla a trovare una nuova sistemazione, anche lì vicino se preferisce, ma in un appartamento più moderno, più confortevole. Un giorno uno le ha decantato i vantaggi di «un'abitazione *cosy*». Jeanne ha perso le staffe. «Giovanotto, casca male. Io detesto lo stile *cosy*. Nei posti accoglienti e confortevoli io mi sento soffocare. Amo il vuoto, il grezzo, i grandi spazi. Ha capito?» No, non capiva. «E si tolga dalla testa che alla gente di una certa età piaccia lo stile *cosy*, come lo chiama lei.» Era andato via senza insistere. Jeanne non cede, la sua casa resiste e mette i bastoni tra le ruote all'avanzamento del progetto di lottizzazione delle «Grandi praterie». Passato lo stupore, quel nome altisonante aveva provocato l'ilarità di Jeanne. Non si era fatta scrupoli a rivolgersi al suo sindaco di destra per avere lumi su dove si nascondessero queste «grandi praterie». Lui, Pierre Darguemarche, aveva ribattuto che non aveva niente a che fare con la scelta del nome. Ciò che Jeanne biasima è la pigrizia architettonica ed estetica di quella gente. Nel giro di qualche settimana ha visto sorgere dalla terra otto costruzioni con l'intonaco bianco, tutte allineate una dopo l'altra a bordo strada, e poi una seconda fila uguale alla prima. Buttare giù casa sua permetterebbe di realizzare la terza. Erano edifici separati da un vialetto abbellito da ghiaia bianca e, ogni cinque metri, da un'alta fioriera di plastica grigia. Una volta terminati i lavori erano comparsi alcuni alberi di alloro, poi morti nell'indifferenza generale. I ficus che sono venuti dopo non hanno riscosso maggiore successo. Oggi, le fioriere fungono da punto di ritrovo e portacenere per i ragazzi. Il «pezzo forte», però, secondo Jeanne, sono i cancelli in PVC ornati da volute e medaglioni talmente pretenziosi da dare l'idea di trovarsi all'ingresso di un maniero, non di un villino. Non restava più niente delle vigne di Martine e Jacques Bazoche, vendute al costruttore. Con fare insinuante, quello li aveva convinti che averlo incontrato era stata la loro fortuna. Dopo la transazione, i Bazoche si erano trasferiti subito nel Sud-Est. A ogni diluvio che si abbatte sulla regione Provenza-Alpi-Costa Azzurra, Jeanne non trattiene la gioia. «Ben vi sta! Ed è solo l'inizio!» esulta, immaginando la coppia di ex vignaioli nell'acqua fino al collo. E a chi ha voglia di ascoltarla dice che sono fuggiti, che non c'è altro modo per definire quella ritirata. Se avessero avuto un briciolo di coraggio, sarebbero almeno rimasti ad assistere al disastro, a guardare gli escavatori che sradicavano i filari. Jeanne ci ha pianto, anche se non si trattava delle sue terre. Lei, la sua terra, non la venderà a nessuno. Quelli si affretterebbero a fare lo stesso e a demolire la sua casa in pietra. Almeno qualche inquilino dei nuovi lotti delle Grandi praterie potrà godere del panorama del suo giardino e delle sue vigne. Ma è con il sindaco che ce l'ha Jeanne, non con i nuovi vicini. Gli si legge in faccia la soddisfazione di essere diventati proprietari. Sono rassicurati dal garage, dal giardino, dalla facciata, dalle finestre, tutto ripetuto sempre uguale. Il sindaco, con due mandati al suo attivo, non vede dove sia il problema, dal momento che il comune guadagna abitanti e le classi della materna non rischiano di restare deserte. Se ci sono ancora negozietti a Verjus è grazie a lui. Jeanne comprende le sue argomentazioni. Ma bisogna per forza fabbricare quegli orrori? La legge del 1977 sulla costruzione o ristrutturazione degli edifici inferiori ai settanta metri quadrati, che ha reso facoltativo il ricorso a un architetto, la fa arrabbiare. Al cospetto della legge, lei è impotente.

Le aree industriali e commerciali sono la sua seconda bestia nera. Non ha peli sulla lingua riguardo a «quegli edifici senz'anima che fanno crepare nell'indifferenza i negozietti di paesi e città». Sono orribili, tristi da morire, ma anche pratici, perché raggruppano quegli stessi esercizi nello stesso posto. E però serve lo stesso la macchina per arrivare a ristoranti, supermercati, fiorai, negozi di mobili, di sport e di bricolage così riuniti. Per guadagnare tempo, s'intristisce Jeanne, siamo disposti a ogni compromesso, a comportarci come pecore. Questa divisione della vita in aree, commerciali, residenziali, industriali e di svago la scoraggia.

Fa una fotocopia della lettera, poi va alle poste. Invia l'originale a Samuel, Allé des Platanes, Villejuif, e la copia a Esther, rue Saint-André a Lille.

Samuel ha promesso a Ben che in mattinata sarebbe passato dove lavora per restituirgli lo zaino. Quando ritira la posta e nella cassetta trova la lettera di Jeanne, ha già dimenticato l'incontro della settimana prima. La legge per strada camminando. Gli conviene rispondere, dato che non ha ancora scritto a nessuno. Se abbandona subito sua madre andrà su tutte le furie, ormai ha esaurito la pazienza con lui. Avrebbe preferito l'uomo d'affari. Si era immaginato che Jean lo avrebbe preso sotto la sua ala e gli avrebbe proposto un lavoro. Ma non ha fatto nulla perché quella fantasia si avverasse. «Così imparo» brontola, spingendo la porta della brasserie. «Tanto non so nemmeno che fa, quel tipo!» Non è troppo tardi per scrivergli, ma Samuel non lo fa. Da un anno e mezzo prende le cose come vengono. Non reagisce, non ha progetti, non aspetta niente, spera poco. Non si sente in diritto di chiedere niente a nessuno. Si sentirebbe l'usurpatore del posto di qualcun altro. Ben sta sbucciando le patate.

«Io te lo dico: non ci resto in questo posto a fare la muffa» dice a Samuel con aria cupa. «Vuoi un caffè?»

«Sì, mi ci vuole. Ecco il tuo zaino.»

«Grazie. Che ci fai da queste parti?»

«Niente di che. Devo andare al super per mia madre. Ti posso rubare una tovaglietta di carta?»

«Sì, certo. Ma a che ti serve?»

«Devo scrivere una lettera.»

«Una lettera? E perché non mandi una mail?»

«Non posso. Poi ti spiego.»

«Va bene, torno alle mie patate prima che arrivi l'altro stronzo.»

«Ci vediamo domani per il *Trono*?»

«Certo, a domani.»

Samuel a Jeanne

15 febbraio

Ciao Jeanne,

mi va bene che ci scriviamo, anche se non so cosa potremmo raccontarci. Per prima cosa, scusa per la mia carta da lettere, è una tovaglietta. Poi mi comprerò un bloc-notes, ma mi sono detto che se non ti rispondevo subito, non l'avrei più fatto.

È vero che non mi andava tanto di venire. Mia madre è stata abbastanza chiara: dovevo trovare qualcosa da fare, sennò me ne potevo andare a lavorare al supermercato sotto casa, dove sapeva che cercavano. Anche no. L'annuncio su «Le Parisien» l'ho visto per caso, mio padre qualche volta lo compra, e ho detto a mia madre che mi sarebbe piaciuto partecipare. Era contenta. Pensa che io scriva bene (o meglio, che non faccio tanti errori di ortografia) e che mettere per iscritto tutto quello che non va nella mia vita forse mi darà sollievo.

L'anno scorso mi ha mandato da uno psicologo ma non è durata tanto. Era pure simpatico, non era

25

quello il problema, è che non lo stupiva niente di quello che gli raccontavo. Tipo che sapeva già tutto di tutto. Mi ha fatto venire i nervi. Ho finito per non dirgli più niente. Non per questo ha cambiato approccio, come se sapesse pure che prima o poi avrei smesso di parlare. Allora non ci sono più andato. A mia madre sono saltati i nervi. Vivo con i miei genitori a Villejuif. Lei è infermiera al carcere di Fresnes. Adora il suo lavoro. Mio padre insegna disegno al liceo. Sono due persone in gamba, non è questo il problema.

Visto che tu ti difendi dalla rabbia e io dalla voglia di spaccare tutto, dovremmo capirci. A sentire le risposte degli altri, anche io ho pensato che eravamo tutti super depressi. Perché sei arrabbiata? Se devo essere sincero, non dai questa impressione. Eri l'unica a sorridere con Esther. Pure l'unica a prendere appunti. Quando Esther ha mandato la mail con la sua domandona, da cosa mi difendo, non ci ho riflettuto. La domanda, alla fine, penso di non averla capita. O piuttosto, mi sono detto che era contorta come domanda. Ma all'incontro mi è venuto quello, «dalla voglia di spaccare tutto». Ha spiazzato pure me. Esther mi ispira fiducia, ha un sorriso che mi tranquillizza. Di fatto, la mia risposta non chiedeva altro: uscire, d'un fiato. E comunque, devo dire che non ti ho trovata vecchia. Per me, i vecchi sono altri.

A presto, allora.
Samuel

<u>Jean a Esther</u>

Parigi-New York,
6 febbraio 2019

Cara Esther,
ti andrebbe se ci scrivessimo anche noi? L'altro che ho scelto è Nicolas Esthover. Scoprirai il perché quando riceverai, come convenuto, una copia della lettera che gli manderò, probabilmente al mio ritorno da New York. Sfrutterò i tragitti in aereo. Sono l'amministratore delegato di Téléphonie et Digitale e, da qualche anno, viaggio molto. Mi occupo essenzialmente di grandi piani di ristrutturazione e prospetti di nuovi mercati internazionali.

Mi chiedo cosa mi passava per la testa quando mi sono iscritto al tuo laboratorio. Avevo bisogno di un altro impegno nel mio planning? No di certo. Quando ho letto il tuo annuncio, mi sono ricordato delle lettere che mi spediva mia nonna materna, Manine, quando ero in collegio a Dijon. Mi teneva aggiornato su Parigi, sulle sue clienti preferite. Le piaceva soprattutto raccontarmi le sue partite a belote, che finivano sempre in baruffa se era in coppia con José, o se Linda stava con Sylvie. Le sue serate davano vita a resoconti di pagine e pagine che mi mettevano allegria: «Ci credi che a quel punto José scarta il re di picche?! E quel babbeo mi guarda pure con la faccia da "non stai mica giocando con un pivello"»; «Lo sai che con Sylvie non

27

c'è niente da fare, non ci arriva nemmeno con la scala». Mia nonna non era per nulla sportiva. Odiava perdere, anche contro di me. Le mie lettere, invece, erano scarne di aneddoti. Ma mi ci impegnavo e mi piaceva davvero scriverle. Negli otto anni di collegio, le settimane in cui non mi ha scritto posso contarle sulle dita di una mano. Ero felice di rivederla quando tornavo a Parigi, un fine settimana sì e l'altro no. Non ho conosciuto mio nonno materno, è morto prima che nascessi. Lei ne parlava poco, se non per ricordare che era stato un uomo coraggioso, gentile, ma era tipo da concentrarsi su tutta la montagna piuttosto che limitarsi a fare il primo passo. Mia nonna collezionava questi modi di dire. Un giorno dovrò ritagliarmi del tempo per ricordarmeli e annotarli.

A scuola andavo bene. Per i miei genitori era scontato che sarei stato ammesso all'Hautes Études Commerciales. Così è stato. Gli è andata bene, né io né i miei fratelli e sorelle gli abbiamo mai dato problemi. Ero un ragazzo ubbidiente. Dopo gli studi sono entrato in una società di telefonia, poi in una seconda specializzata in nuove tecnologie, e alla fine è arrivata Téléphonie et Digital. Per me, business planning, metodologie, bilanci finanziari, massa salariale, costi di produttività non avevano segreti… e la scalata è stata rapida. Mi divertivo come al casinò quando la fortuna gira bene. Puntavo su tutti i tavoli e guadagnavo a ogni mano. Arnaud e Pascal, i proprietari della società, si fidavano ciecamente di me. All'epoca la concorrenza non era agguerrita come oggi e si investivano molti soldi. Con me, erano molto generosi. Avevo il bernoccolo degli affari, probabilmente stavo sotto una buona stella. I quattrini mi eccitavano, il successo mi dava sicurezza, le donne mi lusingavano, gli uomini mi rispettavano. Tutto quel circo, devo ammetterlo, era inebriante. Potevo anche raccontarmela, la sera quando andavo a letto: non c'ero cascato, davo ancora il giusto valore ai soldi. Non era vero. Ci sono cascato con tutte le scarpe e sguazzavo allegramente nel fango. I profitti della società miglioravano rapidamente. Ero il loro mercenario e mi rifilavano tutto il lavoro sporco. Contavano su di me, non facevano che ripeterlo, ne ero lusingato. Con falsa modestia rispondevo che «nessuno è insostituibile» ma facevo di tutto per esserlo. Ne avevo bisogno per sentirmi vivo.

Non potevo trovare modo migliore di tradire mia nonna che diventando quello che sono diventato. Gli anni sono volati via, qualcosa mi è sfuggito, cosa esattamente non lo so. Sono sempre più indifferente alle persone e agli eventi, anche se faccio fatica ad ammetterlo. Vorrei ritrovare il piacere di scrivere. Mi dico che le parole possono aiutarmi a stare meglio. O comunque, a capire cosa voglio, cosa mi aspetto da me.

Cos'altro dirti Esther? Fumo troppo, bevo troppo, le mie analisi non sono eccellenti, ma me ne frego. O fingo di.

In attesa di una tua risposta,
un caro saluto,
Jean Beaumont

All'aeroporto JFK, un autista aspetta Jean per accompagnarlo in hotel. Non c'è un minuto da perdere. Nella sua camera, al ventesimo piano, spegne il climatizzatore, posa la valigia, fa una doccia, s'infila una camicia pulita mentre consulta l'agenda sul cellulare. Ha annotato le riunioni in aereo qualche ora fa, ma si è già dimenticato. Non tiene più a mente le cose. Si chiede se non dipenda dall'età, dalla motivazione che viene meno con il passare dei giorni, dalla memoria che perde colpi – a cinquantatré anni non sei così vecchio, tenta di rassicurarsi. Lancia un'occhiata al panorama fuori dalla finestra, Central Park in tutto il suo splendore. È arrivato il momento di andarci. Jean si chiude la porta della camera alle spalle. Se potesse, farebbe qualche bracciata in piscina. Fuori, si accende una sigaretta e trova il suo autista, che lo aspetta a pochi metri.

Per Jean Beaumont, tutte le grandi metropoli si somigliano. Strade con i marciapiedi grigi, traffico, pannelli che indicano il livello di inquinamento dell'aria, le precauzioni da prendere, il meteo, e poi innumerevoli schermi pubblicitari per le vie e nelle vetrine dei negozi, l'urlo delle sirene, alberi che si sentono di troppo. Anche chi ci vive si somiglia. Sempre di fretta, gli occhi fissi al cellulare che stringono nel palmo della mano quasi fosse un'escrescenza della pelle, gli auricolari nelle orecchie. Spuntano a grappoli dalle uscite della metro per infilarsi nei grattacieli e nei negozi. Arrivata la sera, fanno il percorso inverso. Jean ha perso l'abitudine di camminare. Il suo autista lo segue come un'ombra e l'auto corre tra le insegne, identiche a quelle delle altre città del XXI secolo. Questa sera, i suoi colleghi lo porteranno a cena in un nuovo ristorante esclusivo vantandosi di essere riusciti a prenotare un tavolo. All'inizio, in vista dei primi viaggi per affari, si riprometteva di prolungare il soggiorno di quarantotto ore per fare il turista. Da solo. Sarebbe andato in giro a piedi, avrebbe preso i mezzi pubblici, si sarebbe fermato in qualche bar, lasciando tutto al caso. Non lo ha mai fatto. Da giovane era pieno di risorse, oggi è un'altra storia. Jean Beaumont è diventato uno che ha bisogno della balia.

Si dirige verso l'auto, poi torna sui suoi passi e rientra in hotel. Tira fuori dalla tasca della giacca una busta e la consegna al concierge. Per Esther Urbain, da inviare in Francia con posta prioritaria.

Esther a Jean

Lille,
11 febbraio 2019

Caro Jean,
il ritratto che abbozzi di te non è lusinghiero. Certo, sei molto franco, ma non starai un po' esagerando?

Speri che scrivere ti aiuterà a dare voce alle tue emozioni, a lottare contro l'indifferenza. Sono davvero convinta che possiamo ricostruirci con le parole. E voglio credere che ci riuscirai.

Torniamo alla tua infanzia, se sei d'accordo. Se sono indiscreta, non esitare a farmelo notare. Non me la prenderò, so bene che a volte posso apparire troppo diretta. È uno dei vantaggi (o inconvenienti?) della corrispondenza epistolare, non si notano il fastidio, la noia o la rabbia del destinatario.

Come mai hai studiato in un collegio a Dijon? Non hai detto nulla dei tuoi genitori, forse perché sei cresciuto con tua nonna?

Non so se conosci l'Hauts-de-France. È una regione molto interessante e affascinante che, malgrado le difficoltà economiche, fa grossi sforzi per rinnovarsi e ammodernarsi. Vivere a Lille è molto piacevole. La gentilezza e il calore delle persone del Nord non sono dicerie. La mia regione mi piace in autunno e in inverno. Contrariamente a molte altre regioni francesi, la pioggia e la foschia le si addicono a meraviglia. Basta poco — un cielo grigio piombo, le coltri di nebbia giunte a posarsi sui tetti della città — per conferirle un'aria malinconica che aumenta ogni volta il mio senso di meraviglia. Quando posso, siedo al bancone di un caffè per leggere. D'estate, mi godo la natura tutt'attorno che è incantevole e per fortuna poco conosciuta ai turisti — speriamo duri! I miei amici parigini rimangono sempre stupiti quando decanto le bellezze di questa campagna. Ma è solo la verità.

A presto, un abbraccio,
Esther

P.S. Spero che ti fossero chiare, dalla mail che ho inviato a tutti, le indicazioni a proposito della prima lettera. Dimmi pure se non hai capito qualcosa. Facciamo attenzione, entrambi, a tenere separato il nostro scambio epistolare da quello che invece concerne *stricto sensu* la scrittura.

Dopo l'incontro all'Hoxton non sono tornata subito a Lille. Ho dormito a casa di mio cugino Raphaël, in boulevard Sébastopol. È molto più di un cugino. È mio fratello, il mio più caro amico, la mia roccia. Siamo entrambi figli unici e siamo nati solo a qualche mese di distanza. Lui vive a Parigi, io a Lille, ma abbiamo passato molte vacanze insieme, lui con i suoi genitori e io con mio padre.

Raphaël mi aveva avvisata che sarebbe rientrato tardi e avrebbe lasciato la chiave sotto lo zerbino. Mi ero raccomandata di fare attenzione a non mettergli casa sottosopra, ma nel giro di poche ore sono riuscita a creare una confusione pazzesca. Me ne sono resa conto l'indomani mattina, quando me l'ha fatto notare fingendo di strangolarmi e aggiungendo che quel disordine lo tollera solo perché sono io.

Aveva preparato la colazione ed era sceso a comprare i giornali. Ho voluto fargli le uova strapazzate, mi ha chiesto di sedermi, si sarebbe occupato di tutto lui. Gli ho raccontato del mio laboratorio. Scrivere lettere mi mancava. Ormai non lo facciamo più, lo consideriamo una perdita di tempo che ci priva di immagini e suoni. Tuttavia, io so meglio di chiunque altro, avendo mantenuto con mio padre un rapporto epistolare lungo ben ventidue anni, che le stesse cose si dicono diversamente se le scrivi. Usiamo parole ed espressioni diverse, curiamo lo stile. I pensieri prendono strade differenti, di più difficile accesso, più tortuose e imprevedibili. Più esaltanti, anche. Ci liberiamo, ci esponiamo e corriamo dei rischi. Scrivere una lettera, spedirla, aspettare una risposta dà nuovo valore ai giorni, ha un peso a mio avviso più consono al messaggio dentro la busta. Richiede tempo e una sua strada. Mi dispiaceva non avere più iscritti. Alice Panquerolles, che al telefono sembrava interessata, non si era presentata alla riunione, non si era nemmeno presa la briga di scusarsi. Avevo provato a rintracciarla. Invano. Il ragazzo aveva tutta l'aria di annoiarsi e temevo abbandonasse ancora prima di cominciare. Avevo stabilito che ognuno di loro dovesse avere due interlocutori, ma con soli cinque iscritti mi ero sentita obbligata a entrare in gioco. Non mi andava e ce l'avevo con me stessa per non essermi fermata un attimo per riflettere meglio. Mi aspettavo che si precipitassero a scrivermi, essendo l'ideatrice del progetto.

«Dici che solo una un po' contorta poteva organizzare una roba del genere?» ho chiesto a Raphaël. Ha fatto l'evasivo, stringendosi vagamente nelle spalle. Ma sapevo cosa pensava. Che ero scombinata e impegnativa. Era lui il bravo ragazzo in famiglia. Quello serio. Quello su cui si poteva sempre contare, che non agitava le acque, con un lavoro sicuro e ben pagato nella finanza, una fidanzata adorabile che era il suo clone, un appartamento da rivista di arredamento. Per non parlare dell'auto elettrica…

Non capiva perché mi servisse un nuovo progetto quando la mia libreria mi occupava sei giorni su sette. Adorava imitarmi quando mi lamentavo. Si scompigliava i capelli, si mordeva le labbra, giocherellava con gli occhiali e «Non ce la farò mai da sola. È troppo lavoro per me. Sapessi che ansia. Mi puoi ospitare?». Ero sicura che il mio progetto lo impensieriva e si chiedeva in quale pasticcio mi ero di nuovo ficcata. Avevo torto. Più avanti, era tornato a parlare della giornata trascorsa insieme. Pensava che avessi ritrovato lo slancio e l'entusiasmo di un tempo. Non me lo aveva detto subito, per paura che un'osservazione, per quanto innocente, potesse ricordarmi la scomparsa di mio padre. Da quel giorno nerissimo mi trovava distratta e di umore malinconico. Vedermi così lo faceva infuriare, temeva che non sarei stata in grado di tornare a essere quella di sempre. Anche lui ce l'aveva con mio padre.

Jean a Nicolas

New York-Parigi,
9 febbraio 2019

Ciao Nicolas,
Faccio parte del laboratorio di Esther, ma non sono potuto venire all'incontro a Parigi. Il mio lavoro mi obbliga a viaggiare tanto e conto di scrivere in aereo. Di notte. È il momento che preferisco, quando le luci si spengono, dando il segnale che è ora di dormire. L'esuberanza lascia spazio a un silenzio imperfetto. Fine

delle conversazioni, dei carrelli nei corridoi, delle confezioni di plastica, dei tavolini che si aprono e si chiudono. Amo quest'atmosfera, quando i viaggiatori si addormentano, raggomitolati nelle loro poltrone, sepolti sotto una coperta, con la mascherina sugli occhi. Altri vedono un film dopo l'altro con gli auricolari. Io è da molto che non li guardo più.

Due ragioni mi hanno spinto a scegliere di scriverti. La prima: sei chef al Camélia in rue Colbert. Ci sono stato una decina d'anni fa con i miei figli. Abbiamo cenato benissimo. Soprattutto io. Ricordo che i miei figli, allora adolescenti, volevano mangiare hamburger e patatine da Joe Allen e che ero stato io a dire di no. Risultato: hanno tenuto il muso tutta la sera. Era il periodo in cui volevo educarli alla buona cucina. Ho lasciato perdere in fretta. Quella sera avevo voglia di prenderli e sbatterli l'uno contro l'altro.

Adesso veniamo alla seconda ragione. Nel resoconto che ho ricevuto, Esther mi ha spiegato che anche tua moglie partecipa e che, per ragioni personali, vi scriverete tra di voi. Sono curioso. Siete riusciti a risvegliare il mio interesse, io che di solito mi sforzo per sbarazzarmi dell'indifferenza sempre più invadente e pesante che provo nella vita quotidiana di fronte a tutto o quasi. Non ti darò consigli. Non sono capace di aiutarti. Non sono il tipo, e la mia vita privata è un disastro. Come marito, amante, padre, valgo meno di zero. Invece tu, per arrivare a un gesto così estremo come scrivere a tua moglie nell'ambito di un laboratorio di scrittura, devi tenere molto a lei. Sei perseverante, è una qualità che ammiro. Chapeau! Te lo dice uno che ha lasciato andare via moglie e figli senza battere ciglio.

Allora, ti va se ci scriviamo? Non so se avremo molto da dirci, tanto più che il mio ambito professionale, la telefonia, immagino ti sia sconosciuto, ma perché non tentare? Possiamo parlare di cucina, ristoranti, hotel…

Un caro saluto

Jean Beaumont

In capo a due ore l'aereo atterrerà a Roissy. Jean sigilla la busta destinata a Nicolas. Buttare giù quelle righe gli ha fatto tornare in mente l'appartamento di avenue Victor Hugo, dove aveva vissuto con la moglie e i figli, e a cui non pensa mai, ma di cui ricorda tutti i dettagli. I motivi e i colori di tappeti, tende, quadri, boiserie, la posizione dei mobili, del soprammobile più inutile e di dove li avevano comprati… Sarebbe in grado di riprodurlo e arredarlo tale e quale. Quando la moglie e i figli se ne sono andati via, ha deciso di tenerlo. Solo, in centottanta metri quadrati con le stanze mezzo vuote. Gli amici gli consigliavano di cambiare casa. Ma lui sosteneva che sarebbe stato traumatico per i figli, di cui aveva la custodia un fine settimana su due. In realtà, era incapace di mettersi alla ricerca di un'altra sistemazione. Qui o altrove, non vedeva cosa sarebbe cambiato, a parte l'inutile perdita di tempo.

L'ex moglie si è messa a ridere quando ha saputo che Jean sosteneva di non volersi spostare per Boris ed Emma. Era certa che lui non avrebbe modificato i suoi ritmi di lavoro per i figli, continuando a vederli quando capitava. Il tempo le ha dato ragione.

Tre anni fa un amico ha proposto a Jean di fare a cambio con il suo appartamento, più piccolo ma con una magnifica vista sulle Tuileries. Ha accettato senza esitare. Non ha portato con sé nessun mobile da avenue Victor Hugo. Ha ricomprato tutto. Un modo simbolico di iniziare una nuova vita. Ci si trova bene, potrebbe passare il resto dei suoi giorni sul suo balcone, senza mai scendere in strada, a guardare Parigi dall'alto, i monumenti, gli alberi, la polvere nei giorni di vento, la fiumana di auto su rue de Rivoli, place de la Concorde rumorosa e nervosa, gli habitué del parco.

Nicolas a Jean

Parigi,
15 febbraio 2019

Hello Jean,
ma tu pensa. Dalla foto che Esther ci ha mandato mi sembri un tipo simpatico. Una bella faccia un po' spiegazzata dal tempo, senz'offesa, eh. Non ho niente in contrario se ci scriviamo, ma ci hai visto giusto, il tuo mestiere è così lontano dal mio mondo che non saprei nemmeno cosa chiederti se decidessi di fare finta di in-

teressarmene. Spero che tu non sia suscettibile. Con me non devi esserlo. Perché intanto non mi parli dei tuoi viaggi?

E certo, meglio cenare da me che da Joe Allen, ma capisco i tuoi figli. I giovani preferiscono mangiare un buon cheeseburger con le patatine piuttosto che rompersi le palle in un due stelle con i suoi piatti ricercati.

La cucina è l'unico lavoro che ho sempre voluto fare. Mia nonna aveva una brasserie a Bourg-en-Bresse che i miei genitori hanno portato avanti. Non c'era posto migliore se volevi gustare le specialità della regione, il gâteau di fegatini di pollo e il famoso pollo in salsa di Bresse, le rane, le quenelle di luccio, la galette bressanese… Ho seguito le orme di famiglia. Più o meno. Dopo aver terminato gli studi all'istituto Paul-Bocuse ho voluto sperimentare, proporre una cucina più moderna di quella dei miei genitori, anche se so molto bene che per cucinare quei piatti tradizionali devi avere una bella mano.

Io sarei rimasto volentieri a Bourg-en-Bresse dopo gli studi, ma Juliette, mia moglie, è voluta venire su a Parigi. L'avrei seguita in capo al mondo. L'ho conosciuta a Madrid quando, ancora fresco di diploma, stavo facendo uno stage di sei mesi. Una stangona con due belle spalle squadrate e gambe lunghissime, carnagione scura, capelli corvini e occhi neri come la pece. Aveva passato l'esame di abilitazione professionale di panificazione e pasticceria ed era venuta in Spagna a festeggiare con due amiche.

In un attimo ero innamorato di lei. Era una che la sapeva lunga. Prima di darsi alla pasticceria, aveva studiato letteratura all'università di Caen, e quando l'ho conosciuta era tutta Jean Echenoz e Philip Roth. Era uno strano mix di ragazza che nello stesso quarto d'ora poteva parlarti di varietà scomparse di grano antico e romanzi contemporanei. Io facevo quello sicuro di sé, l'uomo vissuto, ma ero turbato. Oggi ha due boulangerie, una nell'undicesimo arrondissement a Parigi, l'altra a Malakoff, nella periferia sud, e non sono forni qualsiasi, credimi. Dovresti assaggiare il suo pane, è un'opera d'arte. Per me non c'è niente di più buono al mondo del suo pane rustico con il burro leggermente salato Beillevaire e la marmellata di fragole o di clementine fatta in casa.

Abbiamo vissuto insieme per sedici anni e adesso siamo separati. Per sempre, per un po', non lo so. Ora mi difendo dai rimorsi. Faccio fatica a parlarne anche ai miei amici. Uno di questi giorni ti dirò di più. Mi chiedi di parlarti della mia vita privata visto che la tua è un disastro. Mi rallegra come prospettiva, mi sa che ci sarà da ridere... Se ci scriviamo per rimanere in superficie e non per parlare delle cose con franchezza, non mi interessa. Rischiamo di romperci le scatole.

Da quando Juliette se n'è andata, non cucino più come prima. Non riesco più a lavorare il morbido, il cremoso, il dolce. La crème fraîche mi disturba, il cioccolato mi lascia indifferente, i frutti rossi mi esasperano, lo zucchero m'infastidisce. Mi ispira l'acido, pure troppo. Uso e abuso di meravigliosi limoni di Sicilia, calamansi, mapi, cedri digitati e pompelmi giganti. Tutto deve essere aspro, come quello che mi succede, suppongo. Di questo passo, le mie due stelle andranno a farsi benedire. Io e Juliette abbiamo una figlia. Si chiama Adèle e ha nove mesi. Per la sua nascita ho preparato un dolce che amo molto, una pavlova. Adesso è sul menu. E i tuoi figli, quanti anni hanno? Che fanno?

Nicolas

P.S. Tu mi scrivi da un aereo, e io da casa mia, in rue Oberkampf. Ci vivo con mia figlia e mia madre, che è venuta ad aiutarmi con la piccola. Che strano trio, eh?

Nicolas a Juliette

Parigi,
11 febbraio 2019

Juliette,
non me ne capacito. Che tu non abbia avuto il coraggio di dirmi che volevi andartene di casa, che sei dovuta passare per la tua psichiatra per informarmi. Che sta succedendo? Ti faccio paura? Ti faccio schifo? Mi hai legato le mani mettendomi davanti al fatto compiuto, e sai che è una

cosa che odio. Quell'incontro dalla psichiatra non era per discuterne, visto che avevi già deciso. A che scopo chiedermi cosa ne pensavo, se quando ho risposto «tutto il male possibile» né tu né lei lo avete registrato? Avrai notato che non mi sono arrabbiato. Allora, me lo dici a che scopo? Non me ne frega niente che lei legga questa lettera. Così potrà dirti: «Madame Esthover, sembra proprio che allontanarsi da suo marito sia stata la scelta giusta». Mi avete messo al bando, come un uomo violento che non deve più avvicinarsi alla propria moglie. Ci siamo ridotti a scriverci delle lettere. E ancora una volta, ho scelta? Ti voglio aiutare, Juliette, non sono io il tuo nemico, ma ho bisogno di capire. E per adesso non sto capendo.

N.

Juliette a Nicolas

Malakoff,
14 febbraio 2019

Caro Nicolas,
hai ragione. Mi è mancato il coraggio. I miei attacchi d'ansia sono ricomparsi qualche giorno dopo il mio ritorno a casa. Non volevo che te ne accorgessi, che mi rivedessi in quello stato. So benissimo che impressione do. Di una fuori di testa. Quando ho lasciato la maternologia, credevo di stare meglio. Non di essere guarita, ma che

gli attacchi fossero superati. Sbagliavo. Ci sono sprofondata dentro di nuovo. Sono bastati pochi giorni per ripiombare in fondo al pozzo. I pianti di Adèle mi angosciavano come prima del ricovero, ero incapace di occuparmi di lei, e questo mi paralizzava. Avevo il terrore di farle del male, la convinzione di non essere in grado di prendermene cura mi è ripiombata addosso. «È meglio che cresca senza una madre piuttosto che con una madre come me» mi ripetevo come un mantra. Entravo nel panico appena tu uscivi per andare al lavoro.

Paura di addormentarsi, paura di svegliarsi, tu lo sai cosa vuol dire? No. Si è risvegliato tutto quanto insieme. In un attimo. Come se l'orrenda bestia si fosse acquattata in un angolo oscuro di me giusto il tempo per riprendere le forze. Per attaccarmi con ancora più ferocia. L'ospedale e la maternologia non sono serviti a niente. Non avrei saputo spiegartelo. Leggerti in faccia che non ne potevi più, ecco ciò che temevo sopra ogni cosa.

Juliette

Jeanne a Juliette

Verjus-sur-Saône,
12 febbraio

Cara Juliette,
sono Jeanne, ci siamo conosciute all'incontro con Esther. Ti andrebbe se ci scrivessimo?

Certo, forse arrivo tardi. Dopo aver mandato una lettera al giovane Samuel, ho aspettato che qualcuno di voi mi contattasse. Invano. Mi sono chiesta (ti parlo a cuore aperto) se il problema non fosse la mia età. Cosa vuole da noi questa vecchia signora? Raccontarci il suo passato, le sue malattie, la sua solitudine… Probabilmente è quello che vi siete detti. E poi, quel sorriso ebete tutto il tempo? Ti sembrerà stupido, ma avevo un po' di tremarella.

Scrivere lettere mi piace ma mi manca l'occasione. Sono contenta di poterlo fare di nuovo. Con gli amici che abitano lontano ci sentiamo come fanno tutti, al telefono o per mail. Oggi è così, e mi dispiace, perché Esther ha ragione, confidarsi per iscritto non è come farlo a voce. Nelle mail, per la fretta, non ci curiamo dello stile. La nostra grafia, invece, dice molto di noi, così come la carta da lettere. Quello che preferisco nella corrispondenza è l'idea che il tempo si prenda il suo tempo. Che la lettera viaggi fino all'altro. Con le domande che ci poniamo al riguardo. Quando la leggerà? Quando risponderà? È una bella lettera? L'ho convinto? Ho usato le parole appropriate? Esther avrebbe potuto chiamare il suo laboratorio «Elogio della pazienza e della lentezza»…

Da dodici anni abito in campagna, a trenta chilometri da Lione. Verjus era un paese molto grazioso quando mi ci sono trasferita, prima che la lottizzazione iniziasse a rosicchiarlo, in modo lento ma inesorabile. Dei cubi con la facciata bianca, con le persiane giallo pallido e i giardini nevrastenici. Prima vivevo a Lione centro, sulla penisola. Insegnavo pianoforte, ma ho dovuto smettere a causa della poliartrite. Ho lottato, ignorato la malattia, ma un giorno è stata più forte lei e mi ha costretto a rinunciare. Suono ancora per me, quando le dita decidono di ubbidirmi. Il mio lavoro mi rendeva felice. Dopo il conservatorio avrei potuto scegliere la carriera da concertista, ma ho preferito insegnare a casa. Il campanello suonava a ogni ora del giorno. I miei preferiti erano i bambini. Il mio piano cavalcava, sobbalzava, inciampava, balbettava… era tutto molto divertente. Volevo che fosse così. Quando capivo che i miei piccoli allievi non avevano voglia, li lasciavo in pace e suonavo io per loro. Oppure raccontavo loro delle storie. Suonare il piano non è soltanto conoscere i brani, ma anche la storia della musica classica, le vite dei compositori. Alcuni genitori mi rimproveravano la mancanza di autorità. Io gli davo ragione ma con me era prendere o lasciare. Spesso gli allievi abbandonavano, quando diventavano adolescenti oppure quando andavano all'università. Io lo vivevo come un fallimento.

Sono già nove anni che Hadrien è morto. Un infarto. A cinquantanove anni si è ancora troppo giovani per morire. Era un signore elegante. Mi ha regalato una bella vita, e io ho provato a esserne all'altezza. Sono stata fortunata a conoscerlo.

Oh no, sono già finita a raccontare le mie storie senza interesse. Avrai di meglio da fare. Forse vuoi scriverti solo con tuo marito? Che vi siate seduti distanti l'uno dall'altra mi ha fatto pensare che le cose non vadano troppo bene tra voi. Non ti conosco, ti vedevo per la prima volta, ma avevi l'aria stanca. Non voglio essere indiscreta, ma se hai bisogno di parlare, io sono qui. A volte è più semplice farlo con chi non si conosce.

A presto,
Jeanne.

P.S. Non sembra, ma mi difendo dalla rabbia. Il modo in cui saccheggiamo il paesaggio e maltrattiamo gli animali mi disgusta.

Jeanne ha avuto difficoltà a scrivere a Juliette. Tre brutte copie sono finite nel cestino. Si riconosce una certa tendenza a farsi prendere dall'entusiasmo, a liberare le proprie emozioni senza freni. Non vuole urtare Juliette, né darle l'impressione di volersi impicciare, ma non può fingere di non aver notato l'aria triste di quella bella donna che si è lasciata andare. I capelli neri fino a metà della schiena sono opachi, si rosicchia le unghie, il maglione era informe e non le stava meglio il pantalone di velluto a coste, troppo grande per lei. Il corpo atletico, le spalle squadrate e le gambe lunghe le conferiscono un'aria rassicurante, solida. Ma non bisogna lasciarsi ingannare. Quel tipo di abbandono e di fragilità, Jeanne li ha già visti. La maggior parte degli adulti a cui dava lezione erano donne e, tra loro, molte erano anime tormentate. Anni di esperienza le hanno insegnato a riconoscerle. Certi segnali non le sfuggivano. Le mani poco sicure o tremanti quando si posavano sulla tastiera, le spalle incassate, il respiro irregolare e corto, il sorriso forzato, lo sguardo assente, i brani tristi che sceglievano di eseguire. La pazienza di cui Jeanne dava prova, la dolcezza nella sua voce, la spontaneità e la risata facile stimolavano le confidenze. Aveva ascoltato di tutto: divorzi da incubo, tradimenti, bambini problematici, adolescenti chiusi, il primo schiaffo, poi il secondo, il pentimento dei mariti, la disoccupazione, i genitori ormai vecchi piazzati in qualche casa di riposo e i sensi di colpa per quel tradimento.

Jeanne ha riconosciuto in Juliette il dolore di vivere.

Juliette a Jeanne

                                        Malakoff,
                                    16 febbraio

Jeanne,
    con tuo marito, dici che hai provato a essere
all'altezza. Non lo diresti, se non pensassi di
esserci riuscita. Sei stata fortunata. Anche io
ci ho provato, ma ho fallito. Mi sono sentita
sopraffatta. Sono crollata. Completamente. E non
so come fare per risalire né se ho il coraggio
o la voglia di farlo. Non giudicarmi, ti prego.
    Sono una fornaia-pasticcera. Ho due boulange-

rie, una a Parigi, in rue de Montreuil, nell'undicesimo arrondissement, e l'altra a Malakoff, in rue Salvador-Allende. Lavoro farine antiche, promuovo la panificazione lenta e le lunghe lievitazioni. Rifornisco di pani speciali diversi ristoranti stellati. I miei bestseller sono le baguette allo zenzero e al carbone vegetale, e il pane di segale. Ho conosciuto Nicolas a Madrid, in un ostello della gioventù. Avevamo appena finito gli studi. Mi sono innamorata di lui appena l'ho visto, innamorata persa, su due piedi. C'era qualcosa di irresistibile in quel ragazzone di un metro e novanta, con gli occhi azzurri e i lunghi capelli ricci. Come posso spiegarlo? Un'innocenza che invidiavo. Sapeva cosa voleva fare nella vita: cucinare. Ci sarebbe riuscito, non aveva dubbi. Lo diceva senza presunzione, con un candore che mi faceva sorridere. La sua tenacia, la sua sicurezza, mi hanno fatta andare avanti tutti questi anni. «Sei tu» mi ha detto deciso la prima mattina della nostra prima notte. «Sono io cosa?» gli ho detto stupidamente. «La donna della mia vita. Sei tu.» Sarei dovuta scappare, sono rimasta. Non c'era niente di più bello che stare tra le braccia di quell'uomo. Siamo tornati in Francia, a Bourg-en-Bresse, dove è cresciuto lui. I suoi genitori mandavano avanti un'eccellente brasserie in centro. Mi hanno accolta, erano molto gentili, ma quella vita di famiglia mi opprimeva. Volevo vivere a Parigi, farne la mia città, conoscere qualcosa di diverso dalla provincia. Sono cresciuta a

Trouville. «Perché no?» mi ha risposto Nicolas. Sei mesi più tardi traslocavamo in un appartamentino proprio accanto a place Maurice-Chevalier, nel ventesimo arrondissement. Abbiamo trovato lavoro, lui al ristorante l'Astrance, io da Landemaine, un forno-pasticceria molto rinomato. Sono settori in cui il lavoro non manca.

A Parigi, però, non riuscivamo a risparmiare come avevamo sperato. Per fortuna, cinque anni dopo i suoi genitori ci hanno prestato dei soldi. Nicolas ha potuto aprire il suo ristorante, il primissimo, in rue Oberkampf. Poco più di un corridoio con dodici coperti. Una tinteggiata, la cucina rimessa a nuovo, tavoli e sedie di legno comprati al mercatino delle pulci di Vanves e tutto il talento di Nicolas nei piatti. Di lì a poco, la sera era sempre al completo, sono arrivate le recensioni, è stato notato e segnalato nelle guide. Ce l'aveva fatta.

Io ho rilevato un forno a Malakoff. L'affitto non era eccessivo. Che brividi, cara Jeanne, che eccitazione, quando ho alzato per la primissima volta la saracinesca del MIO negozio, pronta ad accogliere i primi clienti! Quei secondi radiosi, so che resteranno scolpiti dentro di me per sempre. Se chiudo gli occhi sono ancora qui con me. Come un soffio di vento che sfiora il viso. Aprire una boulangerie era molto di più del semplice preparare e vendere pane e dolci da forno. È il luogo di ritrovo per eccellenza, dove si incrociano l'uomo d'affari e il disoccupato, la wonder woman e la casalinga, è il luogo dove tutti passano ogni giorno, o quasi. È anche il posto dove si mandano i figli per fare la prima spesa da soli. Insieme al ristorante, è il cuore del paese. Un luogo essenziale, felice. Quando ho preso l'abilitazione, ho constatato con sorpresa che molti studenti avevano scelto questo settore per esclusione. Per me, era il nirvana.

Per raggiungere il mio forno partivo di notte con lo scooter. Il rumore dei camion della spazzatura mi faceva compagnia mentre Parigi dormiva, lungo i marciapiedi deserti, dove i ratti avrebbero regnato ancora per un po'. Mi rivedo in pieno inverno, tremante di freddo, sotto una pioggia ghiacciata, stordita dalla stanchezza perché non avevo dormito abbastanza, ma felice di raggiungere il mio forno nonostante tutto. «Io amo una masochista» mi prendeva in giro Nicolas. Lui rientrava la sera tardi. Strana vita per una giovane coppia. Ci dicevano: «Di questo passo, non durerete». Non vedevamo dove fosse il problema e ne avevamo tutte le ragioni. Volevamo approfittare della giovinezza, realizzarci nel lavoro prima di avere dei bambini. Non ci siamo accorti del tempo che passava. Risultato: quando sono rimasta incinta avevo trentasette anni. È nata Adèle e tutto è cambiato. Ma non riesco a parlartene. Posso solo scriverti che ho avuto la sensazione di essere sepolta viva. Da allora mi difendo dall'inabissamento. Adesso ha nove mesi.

Sto meglio solo quando affondo le mani nella farina, con il calore dei miei forni, gli odori delle cotture, di fronte alle pagnotte che si gonfiano e lievitano. L'ultimo pane che ho creato si chiama «la bella moretta». È a base di birra scura con uva passa e sentori di sesamo tostato. Ho anche delle specialità gourmet come il cioccolato soffiato al dulce de leche, la brioche della domenica con cracker al miele e cacao del Venezuela. Con Nicolas passavamo intere serate a discutere di prodotti, creazioni culinarie, ristoranti, specialità gastronomiche, e a trovare nomi per i suoi piatti, i miei dolci e i miei pani. Ti piacciono quelle belle pagnotte rustiche, con la crosta dorata e croccante e la mollica madreperlata?

Juliette

ALL'ORIGINE

Jeanne a Juliette

Verjus-sur-Saône,
20 febbraio 2019

Cara Juliette,
grazie a te stamani ho assaporato un piacere diventato raro: trovare nella cassetta delle lettere, tra spiacevoli fatture e noiose brochure, una busta con l'indirizzo scritto a mano. Questo genere di busta risveglia subito la mia curiosità, come quella di molte persone.

Le tue parole mi hanno commossa. Parli di tuo marito con amore e tenerezza, ma della vostra felicità al passato. Cos'è successo, quindi? Leggendoti, tutto mi lascia pensare che eravate una coppia unita.

Come ti ho già scritto, Hadrien è stato il grande amore della mia vita. Ero ancora al conservatorio quando l'ho conosciuto durante una serata, a Parigi. Ricordo ancora l'appartamento sulla collinetta di Montmartre. Immenso e con vista sul Sacré-Coeur. Béatrice, una delle mie migliori amiche, aveva insistito per portarmici. Quella sera erano molti a festeggiare la laurea in medicina, oltre ad Hadrien. «Vedrai» mi aveva avvisato, «gli studenti di medicina sanno come divertirsi.» Non sono rimasta delusa. Io e Hadrien alle cinque del mattino siamo finiti al Pied de Cochon, un ristorante sempre aperto. Di lì a qualche giorno lui sarebbe partito per Freetown, in Sierra Leone. C'era andato in vacanza con i genitori quando era adolescente e sognava di tornarci. Voleva esercitare lì come medico generico per un po' di tempo e poi tornare in Francia. Di quanto tempo si trattasse non ne aveva la minima idea, e soprattutto non voleva programmare nulla. Non ci siamo lasciati fino alla sua partenza. Non sono sicura che quei giorni insieme sarebbero stati così intensi — piuttosto disinibiti, direi — se quella sua partenza non fosse pesata su di noi ogni momento. Non avevamo tempo da perdere. L'ho accompagnato all'aeroporto. Ho guardato il suo aereo decollare. Ero felice per lui. Pensavo di non rivederlo più e mi andava bene così. Non immaginavo nemmeno per un attimo che si sarebbe fatto vivo. Mi ha scritto appena è arrivato e il ritmo si è fatto sempre più serrato durante quei quattordici mesi lontano dalla Francia. È difficile non cedere di fronte a un uomo innamorato e divertente.

Al suo ritorno sono andata a prenderlo a Roissy. Quando l'ho visto attraverso il vetro era talmente bello che c'è mancato poco che scappassi. Era abbronzato, indossava una camicia africana variopinta e due collane di perle di legno. I capelli, ormai lunghi fino alle spalle, si erano schiariti. Era più adulto.

Ancora oggi rileggo le sue lettere con emozione. Mi ricordano quanto ci siamo amati. Dopo, ovviamente, sono triste, ma lo sopporto. È la nostalgia, che va e viene...

Siamo andati a vivere insieme quasi subito, ma a Lione, dato che nessuno dei due teneva particolarmente ad abitare a Parigi. Ha aperto uno studio in centro, nel quartiere della Croix-Rousse. Era un medico benvoluto e su cui si poteva contare. Esercitava gratis due mezze giornate a settimana in un ricovero per senzatetto. Sosteneva i suoi pazienti, si trasformava anche in assistente sociale se le circostanze lo richiedevano. Per loro, si faceva carico delle pratiche amministrative, fronteggiava l'indifferenza, il disprezzo, non si arrabbiava mai, non mollava e alla fine otteneva quello che aveva promesso.

D'estate facevamo sempre un lungo viaggio, l'unica vacanza durante l'anno. Siamo andati a più riprese in Africa, siamo stati in Mozambico, Sierra Leone, Costa d'Avorio. Ho sempre sospettato che visitassimo quei luoghi sperduti affinché Hadrien potesse offrire consulti gratuiti. I paesaggi non esercitavano alcuna attrattiva su di lui.

Con il passare degli anni, i nostri amici

hanno divorziato. Ogni nuova separazione ci rattristava. Io e Hadrien eravamo gli unici sopravvissuti in un campo di rovine. Non abbiamo mai conosciuto il tradimento, la fiacchezza, i colpi bassi, la gelosia. Perché proprio noi? Cos'avevamo in più o in meno rispetto agli altri? Niente. Non volevamo figli, cosa che incuriosiva gli amici. Stavamo bene soli, io e lui. Lo abbiamo accettato, anche se non è stato sempre facile, soprattutto per me. Agli occhi degli altri, una donna che non desidera procreare è incompleta, o per forza vittima di un trauma e/o una nevrosi. Le mie giornate le passavo con i bambini, mi piaceva, perché allora non ne volevo? mi chiedevano tutti. Rispondevo sempre che non vedevo il nesso tra insegnare pianoforte e diventare madre. Ma non convincevo nessuno. C'era anche chi non affrontava l'argomento, convinto che dipendesse da un problema fisico, o mio o di Hadrien. È cambiato lo sguardo sulle donne che non vogliono figli? Non mi pare.

Avevo trentasette anni quando sono rimasta incinta. È capitato. All'inizio eravamo indecisi, ma la mia età ha scelto per noi. Non avremmo avuto un'altra occasione. Abbiamo avuto una figlia, Aurélie, che ci ha resi felicissimi. Ha compiuto trent'anni da poco.

Hadrien ha avuto un infarto quasi dieci anni fa ormai, in Tanzania, mentre eravamo in vacanza. Il giorno prima, stavamo passeggiando sulle montagne di Lushoto, si è girato verso di me, mi ha sorriso e mi ha detto: «È da stamattina che non mi sento tanto bene. Chiederò alla guida se domani può portarmi all'ospedale». Io gli ho suggerito di andarci subito. «Perché aspettare?» ho insistito. Non doveva prendere alla leggera quel dolore alla spalla e il respiro affannoso. Si è messo a ridere: «Non preoccuparti, chi è il medico qui? Va tutto bene, è solo un po' di stanchezza. Stasera vado a letto presto e domani con calma andiamo in ospedale, dopo colazione». Ma quella notte è stata agitata. Ci siamo alzati all'alba. Era cadaverico in volto. Sono rimasta nemmeno una ventina di minuti nel bagno di fronte al nostro bungalow. Poi sono andata dritta verso le cucine dall'altro lato del parco per recuperare un vassoio con la colazione. Volevo fare il più velocemente possibile. Quando sono tornata Hadrien era a terra morto accanto al letto. Ecco, cara Juliette, a volte la vita prende una piega che non avevamo previsto. Che immensa e vertiginosa assurdità. Ma forse lo hai già sperimentato. Ah, sapessi quanto mi sono pentita di non aver insistito il giorno prima.

Hadrien è seppellito nel cimitero del paese ma io non ci vado. E perché mai dovrei? Evito addirittura di passarci davanti. La tomba sarà in uno stato pietoso, ma me ne frego. Preferisco parlargli qui, a casa. Parlare a una pietra ti sembra tanto più razionale? L'eco del silenzio è uguale. Quel corpo imprigionato in una bara, che sprofonda e marcisce, che diventa polvere, non è più lui.

Come vedi, con te mi confido liberamente. Non

credere mi venga facile. Prova anche tu a parlarmi di quello che ti preoccupa.

Un abbraccio,
Jeanne

<u>Juliette a Jeanne</u>

Malakoff,
24 febbraio 2019

Cara Jeanne,
sai cos'è la depressione post-partum? Colpi-
sce le donne che hanno da poco avuto un bambino.
Anche gli uomini, ma più raramente. La difficoltà di essere madre, il volto oscuro della
maternità, di cui si parla troppo poco. È la
malattia che mi ha colpito dopo che ho avuto
mia figlia. Non sono ancora in grado di parlarne. Se mi sforzo di ricordarmi gli avvenimenti,
di posizionarli cronologicamente, di ripercor-
rere il mio lungo tracollo, ho paura di avvicinarmi troppo al fuoco, di restarne scottata.
Però, posso provare a parlarti della malattia
mantenendo una certa distanza, non della mia
esperienza personale, ma di tutte le donne che
ne soffrono, anche se ogni storia è cosa a sé.
Forse, più avanti, riuscirò a scriverti quello
che è successo a me. Se ci riesco, vuol dire
che sarò riuscita a vincere un po' la vergogna
che mi paralizza. Sarà una bella vittoria, ma la
strada è lunga.

Ti preciso una cosa, Jeanne. Prima di ammalarmi non sarei stata in grado di spiegarti cosa fosse la depressione post-partum.

La stragrande maggioranza delle neomamme si riduce in uno stato di esaurimento e vulnerabilità tale da far riaffiorare ferite non rimarginate, questioni irrisolte, traumi nascosti, spesso legati all'infanzia, sentimenti arcaici che non sempre sono i benvenuti. Una gravidanza malvissuta, un parto complicato, un'episiotomia dolorosa, un cesareo d'urgenza, un mancato allattamento, ostetriche poco comprensive, infermieri che deludono (anche parzialmente) le nostre aspettative, dissapori familiari, tutto incrementa la nostra insicurezza. Sono tutte cause scatenanti della «DPP». In madri particolarmente fragili precedono il crollo psichico, che in un primo momento si attribuisce alla fatica, alla carenza di sonno, al baby blues.

Di ritorno a casa, si sentono incapaci, sono paralizzate dalla paura di fare del male al figlio. Non sono in grado di decodificarne i bisogni. Angosciate, si chiedono perché sono sprovviste di quell'istinto materno con cui gli hanno stordito le orecchie da che sono al mondo. Noi donne cresciamo con questo dogma incontrovertibile: non c'è gioia più grande dell'avere un figlio. Se sapessi quanta rabbia mi fa questa frase oggi. E così, vinte da questo peso, tengono per sé ciò che stanno passando. Per queste neomamme, le visite della famiglia e degli amici, che si esaltano davanti al piccolo e si congratulano con i genitori, sono momenti strazianti, in cui tentano di fare bella figura mascherando la precarietà della loro condizione. Se si mettono a piangere, si sentono dire che devono riposare, che si tratta di baby blues, una cosa da niente, quasi inevitabile, che passa presto e senza conseguenze. Tutte le vittime di depressione post-partum sperimentano la vergogna e il senso di colpa. Nelle lacrime del figlio sentono la propria disperazione, una richiesta di aiuto a cui non possono rispondere e che genera un'immagine mostruosa di loro stesse. La vera solitudine è quella: quando mettono al mondo un bambino si ritrovano sole con lui, incapaci di esaudire i suoi bisogni, di donargli tenerezza, amore. La nascita ha aperto una frattura che non sospettavano. I giorni passano, l'angoscia cresce, e loro si sentono delle nullità, si chiudono nella propria desolazione e finiscono per gettare la spugna. Succede anche di iniziare a odiare quell'esserino che avvelena i giorni e le notti. Non la sto facendo tragica. Quante hanno provato il desiderio furioso e insensato di lanciare il figlio dalla finestra, o di soffocarlo con un cuscino? Quante si sono addirittura viste farlo? Io per prima. Per loro è impossibile essere madri. Perché quando lo diventano, non esistono più. O loro o il bambino. «Io sono il guscio che si è frantumato in mille pezzi per lasciare uscire il pulcino»* ha

---

* Frase estratta dalla testimonianza di Isabelle all'interno del libro *Tremblements de mère. Le visage caché de la maternité* (Éditions L'Instant Présent).

testimoniato una delle donne della maternologia dove sono in cura. Ecco, descrive perfettamente quello che tutte provano, convinte come sono di non essere all'altezza. E in effetti non lo sono. Tuttavia, senza il piccolo, non sono più nemmeno del tutto loro stesse; non è possibile tornare indietro, vivere senza di lui. Le donne che soffrono di questo genere di depressione fanno tutte la stessa constatazione: stanno vivendo all'inferno.

Juliette

Quando non è all'unità di maternologia Juliette cerca di «vivere l'istante presente», come le è stato consigliato. Gli antidepressivi e gli ansiolitici la avvolgono in una bolla lenitiva che tiene il dolore a distanza. Le è bastato scrivere della depressione per sentirsi di nuovo male; pensare di proteggersi parlandone a nome di tutte le donne che ne soffrono era una speranza illusoria. Le gira la testa, il panico la assale, presto inizierà a delirare: non è mai rimasta incinta, non le ha mai dato la vita, tutto è come prima che la sua nascita devastasse ogni cosa. Certo, ama la sua piccola, non le dà alcuna colpa. Adèle è l'innocenza fatta persona che va protetta e ha diritto alla felicità. Il mostro è lei, Juliette, che intanto si raggomitola nel letto. Respirare lentamente e con regolarità. I suoi farmaci, subito. E ora, sprofondare nel sonno.

Jeanne a Samuel

Verjus-sur-Saône,
21 febbraio 2019

Caro Samuel,
se preferisci scrivere sulle tovagliette di carta a me sta bene, si legge senza problemi. Scegliere di partecipare a un laboratorio di scrittura al posto di lavorare in un supermercato mostra che hai buonsenso. Quanti anni hai, Samuel? Mi pare di capire che non studi e non lavori. Non ti annoi? Quando ero piccola passavo le vacanze estive con i miei genitori a Corrèze, dove avevamo una casetta sperduta in mezzo alla natura. Ci stavamo per quattro settimane, tutti e tre insieme. Non puoi capire quanto mi rompevo…! Per fortuna avevo la musica. Ero figlia unica, non avevo amici nei paraggi se non mia cugina che abitava dall'altro lato del paese. Lei si riempiva le giornate con quello che aveva a portata di mano: matite, pennarelli, perline, terra, pezzi di piastrelle… La ammiravo. Ci sapeva fare. In confronto, io ero un'imbranata. Però volevo anche io la sua ammirazione e per ottenerla avevo solo il piano. Allora, quando veniva a casa mia, suonavo per lei. Fatica sprecata: in genere se ne andava nel giro di qualche minuto, bam!, sbattendo la porta. Saliva sugli alberi con agilità, e quando giocavamo a nascondino sapevo di aver perso in partenza perché andava a cacciarsi in angoli dove avevo paura di

avventurarmi. Non aveva bisogno di me per divertirsi e me lo faceva capire. Io volevo brillare ai suoi occhi ma lei si rifiutava di stare al mio gioco. Ed è proprio perché non avevo idea di come impiegare il tempo che ho deciso di frequentare la biblioteca del paese e iniziare a leggere. *Bel-Ami* di Maupassant è stato il mio primo colpo di fulmine letterario.

Se mi avessero detto che un giorno avrei abitato in campagna non ci avrei creduto. Vivo in una casa in mezzo a una vigna. Mi piacerebbe poter scrivere «sperduta in mezzo ai vigneti» ma sarebbe esagerato, dato il numero di lotti edilizi che mi circondano. Mio marito, Hadrien, era medico generico e dopo i nostri studi a Parigi l'ho seguito a Lione, dove ha aperto il suo studio in centro, nel quartiere della Croix-Rousse. Per anni io ho ricevuto i miei allievi nel nostro appartamento, finché non gli è venuta voglia di spostarsi in campagna, dove c'era bisogno di medici (ancora oggi è così). Quel nuovo stile di vita m'impensieriva, ma c'era un aspetto positivo: lo spazio per accogliere animali. Era un sogno. Siamo andati a vivere a Verjus, un paesino di 1300 anime, e lì ci ha aperto uno studio. La contentezza genuina degli abitanti per il suo arrivo mi ha consolato di aver dovuto lasciare Lione. Io ci tornavo più volte a settimana per insegnare a domicilio e al conservatorio, ma anche a Verjus ho dato lezioni di pianoforte.

Mio marito è morto da quasi dieci anni. Aveva cinquantanove anni. Troppo giovane per morire. Io ne ho sessantasette. Forse ti starai chiedendo, caro Samuel, perché ho parlato di rabbia. Perché sono una persona che ama portare avanti delle battaglie, mi danno la spinta per alzarmi la mattina. Porto avanti ogni causa, oh sì!, anche la più piccola, e conto le vittorie sulle dita di una mano. Tuttavia, grazie alle mie battaglie mi sento viva e — come dirlo senza che sembri utopistico o naïf? — parte attiva nel mondo e nella società. Capisco benissimo quelli che, standomi attorno, mi trovano pesante, ma a mia discolpa sono una guerrafondaia dall'animo sensibile. Nutro una passione per gli animali. Vorrei che fossero rispettati e che gli venisse riconosciuto lo spazio che gli spetta tra di noi. Hai mai guardato dei documentari sugli animali, Samuel? Ne danno di bellissimi in televisione. Tutti gli animali, dai più piccoli ai più grandi, possiedono un'intelligenza particolare, capacità uniche, intuizioni geniali. Adesso non sto qui a farti la lista di tutte le crudeltà che subiscono da parte dell'uomo. Diffido degli estremisti che li reputano più virtuosi di noi ma siamo realisti: in quanto a crudeltà contro gli animali, per sfruttarli al massimo, le risorse e l'immaginazione che impieghiamo sono inesauribili. Queste cose mi rattristano. Proprio ieri ho scoperto la festa del sangue in Perù, dove il toro deve difendersi dal condor che gli hanno legato sulla schiena mentre questo gli affonda il becco nella carne nel tentativo di liberarsi, in una specie di rodeo insostenibile. Il condor fa soffrire il toro, il toro fa soffrire il condor. Un rituale in mezzo ad altri mille di cui solo l'uomo conosce le ragioni. Proteggiamo gli animali, rispettiamo la natura altrimenti, un giorno o l'altro, la pagheremo cara.

Mi batto contro gli allevamenti intensivi, contro gli spettacoli con gli animali in Francia, contro la caccia con il vischio, contro l'abbattimento delle bestie senza che vengano addormentate. Firmo petizioni, aiuto associazioni a ottenere appuntamenti, incontro politici, direttori di organizzazioni e fondazioni per tentare di sensibilizzarli alle cause che li riguardano direttamente. In estate do anche una mano ai rifugi della mia regione che raccolgono gli animali abbandonati. È difficile restare motivata dopo tutti questi anni, quando la maggior parte delle volte tutto si risolve in un buco nell'acqua. Poi, però, riporto una piccola vittoria e via! Riguadagno lo slancio necessario per sentirmi di nuovo una guerriera.

Se vuoi, la prossima volta ti parlerò dei miei animali. Tu ne hai?

Un'altra mia battaglia è quella contro le lottizzazioni, che qui da me spuntano come i funghi. Sono consapevole che diventiamo sempre più numerosi su questa terra, che bisogna costruire nuove abitazioni, e che ciascuno di noi dovrebbe avere un tetto sulla testa. Questo è il motivo per cui distruggiamo i paesaggi e usurpiamo la natura giorno dopo giorno. E sia!

Non abbiamo scelta. Ma è una ragione sufficiente per rinunciare alla bellezza architettonica? Per allineare dei cubi di cemento tutti uguali? Quando pongo questa domanda mi viene risposto che è facile parlare per me dalla mia bella casa in pietra. «Ah, questi signorotti!» si dicono. Pff... Si può costruire qualcosa di bello con gli stessi soldi. Non pensino di farmi fessa. Alcuni architetti e/o costruttori fanno intervenire a monte i futuri proprietari, che possono dire la loro sugli esterni e gli interni delle abitazioni, la disposizione delle stanze, la facciata... e ci sono addirittura le zone comuni, una lavanderia, un appartamentino per gli ospiti, una stanza per organizzare riunioni o feste. Mi sto scaldando, Samuel, mi sto veramente scaldando... Scusami.

E tu, dimmi: perché ti difendi dalla voglia di spaccare tutto?

Un abbraccio,
Jeanne

Samuel a Jeanne

1° marzo

Ciao Jeanne,

in effetti mi piace molto scrivere sulle tovaglie di carta, quindi continuo visto che non ti dà fastidio. Anche mia madre, come te, mi dice sempre (tranne che lei lo fa in modalità nervi pronti a saltare): «Non ti annoi a non fare mai niente?». Quando mio fratello era in ospedale e di pomeriggio andavo a tenergli compagnia il tempo mi sembrava non finire mai. Non osavo giocare col telefono, si aspettavano che parlassimo ma non sapevo proprio che dirgli. Credo lo avesse capito e che sotto sotto se la ridesse. Julien aveva tre anni più di me. Aveva il cancro da molto tempo. È morto il 25 ottobre 2017, a ventun anni. O meglio, quasi ventuno, li avrebbe compiuti la settimana dopo. È da poco che mi sono reso conto che non ricordo nemmeno più da quanto tempo era malato. Ho come l'impressione che lo sia sempre stato, di averlo conosciuto così, ma può essere che mi sbaglio. Un cancro lasciava il posto a un altro cancro. Forse è nato in salute, normale. Un ragazzino come gli altri. Come me. Sono domande che ho iniziato a farmi dopo la sua morte. Prima, no. Per me era come se fosse stato sempre malato e lo sarebbe rimasto per tutta la vita. Non ho mai pensato che un giorno potesse guarire o morire. Non ho risposte. Non posso parlarne con i miei, di lui non si parla più a casa, è diventato un tabù, e mi chiedo come ci siamo arrivati. Per certi versi mi sta bene. Col dolore di mia madre non so che farci. Non ho niente per consolarla. Non ho parole, non ho gesti, e mi sento sempre più una merda. La sento piangere nel suo letto, prima che mio padre la raggiunga in camera. Prima, andavano a coricarsi insieme. Lei ci prova a non fare rumore, ma io la sento. Abbiamo le pareti sottili come carta velina. Lo riconosco quel suono, quello dei singhiozzi che si strozzano e muoiono dentro un cuscino. Ci sono cresciuto, se devo essere sincero. A volte mi fa venire voglia di spaccare tutto, a volte fa venire a me la voglia di piangere. Da quando Julien è morto, i pianti di mia madre ogni sera sono diventati un vizio. Mio padre invece si è chiuso in sé stesso. Prende dei farmaci per reggere il colpo. Con mia madre si parlano appena. Provo a ricordarmi com'erano prima della morte di Julien. Se devo dirtela tutta, parlavano solo di lui, le ultime chemio, il nuovo protocollo, chi dei due poteva liberarsi per accompagnarlo dal chinesiterapista, o a fare la risonanza magnetica… Julien occupava tutto lo spazio tra me e i miei genitori, ma anche, me ne rendo conto adesso, quello tra mia madre e mio padre.

Mio padre non riesce più a disegnare. Io non riesco più a piangere. È come se tutto si fosse bloccato il giorno in cui i miei genitori mi hanno detto che se n'era andato. A ogni modo, ho pensato che non ci sarebbe stato nessuno per consolarmi, non volevo rincarare la dose sui miei genitori, dolore su dolore. Tutti e tre abbiamo fatto la stessa cosa. Ognuno ha pianto per i fatti propri per risparmiare gli altri. Io sono andato nel bosco, per urlare. Non mi è uscito niente. Una sera ho bevuto e, non ci crederai, non sono riuscito nemmeno a vomitare. Sono rimasto sottosopra per due giorni. Il mio corpo è come una fortezza costantemente all'erta, mi fa sempre male dalla tensione. Sento che se mollassi potrei fare una cazzata, spaccare tutto. Non dovrei raccontarti queste cose, non sono affari tuoi, ma volevi sapere come mai ho voglia di spaccare tutto.

No, non ho animali, però mi piacerebbe molto avere un cane. Tu che animali hai? Di cosa è morto tuo marito? E per la cronaca, non voglio avere mai figli.

Mi chiedi cosa faccio durante la giornata. Dipende. Sto col mio amico Ben, insieme guardiamo *Il Trono di Spade*, ma ora sta lavorando in un ristorante e non ci vediamo spesso. Smanetto un sacco al pc, sbrigo commissioni per mia madre e quando me lo chiede le faccio qualche piacere. Non leggo. Guardo molte serie, è vero. Sto in fissa con *Spiral*, ma è una serie vecchia. Quando mio padre torna con «Le Parisien», non tutti i giorni però, gli butto un occhio. Onestamente, i libri non sono roba per me. Non mi ci vedo per niente in una libreria o in una biblioteca, non sono a mio agio in quei posti. Non saprei che fare, che scegliere.

Studiare non faceva per me. Facevo pena. E quando Julien è morto le cose non sono andate meglio. Mi sono fatto espellere alla fine della prima liceo. Mia madre ha cercato di iscrivermi in una scuola privata, ma le ho chiesto di lasciarmi in pace fino alla fine dell'anno. Ha accettato. Non è che gliene importasse più di tanto. E alla fine, quando i miei sono tornati sull'argomento, ho detto no, basta liceo, piuttosto mi trovo una scuola professionale. Ma la

verità è che non ho cercato niente. È passato
un anno e mezzo e sono fermo allo stesso punto.
    Samuel

Jean a Nicolas

Ciao Nicolas,
    non sei l'unico. Quando mia moglie se n'è an-
data, non riuscivo a parlarne. Non potevo confessare di non provare niente. Né gioia, né tristezza, né sollievo.
    Macha è russa, è cresciuta a Mosca. L'ho in-
contrata a Parigi durante una serie di conferenze su tecnologie dei big data e questioni so-
cietarie. Lei interveniva in qualità di manager
di una grande catena di cosmetici russi. Siamo
usciti insieme, e dopo un po' di andirivieni tra
Parigi e Mosca si è trasferita da me. Macha era
una donna brillante e ambiziosa — lo è ancora.
Ci tengo a precisarlo perché il cliché della
donna dell'Est che sposa un ricco europeo per i
suoi soldi non lo tollero più. Nel nostro caso,
poi, era assurdo. Ha seguito un corso intensivo
di francese e poi ha trovato un posto come gene-
ral manager, sempre nell'ambito dei cosmetici.
    Sei mesi dopo il nostro primo incontro mi par-
lava già di fare un figlio. Pensavo che ci fosse
tutto il tempo, con la vita intera davanti a noi.

Ero innamorato, volevo godermi lei, noi. Perché questa fretta? Il suo desiderio di maternità ha avuto l'effetto di una doccia gelata. È riprovevole, ma ho pregato affinché non rimanesse incinta. Tre mesi dopo è successo. Dopo la nascita di Boris ho perso il mio posto. Lui ha segnato la fine della mia felicità coniugale, mi sentivo di troppo. Non era colpa di Macha. Mi avevano tagliato le gambe. Due anni dopo è arrivata Emma. Non ho cambiato niente nella mia vita perché ero diventato padre. Anzi, nel lavoro mi ci sono rifugiato.

Macha si è innamorata di un altro. Non ho provato né dolore, né gelosia, né gioia, né rabbia, né sollievo. Il mio ego non si è sentito ferito. Boris aveva undici anni quando ci siamo separati, Emma nove. Mia moglie e i bambini hanno fatto i bagagli e io sono rimasto imperturbabile, fedele alla mia routine, al ritmo che dominava le mie settimane fatte di riunioni, pranzi d'affari, call con l'estero la mattina presto e la sera tardi. Mi sono solo trascinato avanti, non preoccuparti per me.

È stato un divorzio pacifico. Nessuna guerra sui soldi, o per chi doveva tenere i figli o l'appartamento. Le ho dato quello che voleva e che mi sembrava giusto. Qualche anno più tardi si è risposata con un pittore francese, anche abbastanza quotato. Ma non è per lui che mi aveva lasciato.

Quanto al rapporto con i miei figli, è quasi inesistente. Loro non c'entrano. La colpa è solo mia.

A presto,
Jean

<u>Nicolas a Jean</u>

Parigi,
4 marzo 2019

Ehi Jean!

Devi darti una mossa. La vita è breve. Cos'è questa disillusione che hai? Sei così tutto il tempo? Non è possibile. E poi, questo ruolo da vittima in cui sembri crogiolarti, non lo sopporto. Con tua moglie, con i tuoi figli, è tutta colpa tua? Basta fare Calimero. Almeno riconosci che ti sei costruito una bella carriera. Guarda, non ho voglia di parlare con un depresso, non ne ho bisogno, perché, credimi, ho già vinto la lotteria delle rotture…

Devi per forza avere grinta e credere un minimo in quello che fai per motivare il tuo team, no? Ti ho cercato su Google e ho trovato un ritratto piuttosto celebrativo di «Les Échos», e c'è pure una foto: sguardo da duro, mascella da squalo, completo nero elegantissimo, wow! Se il tuo problema è che sei stufo di viaggiare di continuo, non puoi delegare e fermarti, a Parigi o da qualche altra parte? Io, se non mi presento tutti i giorni al Camélia carico e pronto a dare il meglio, la mia brigata e i clienti ci mettono poco a presentarmi il conto. Sono certo che nemmeno tu hai scelta.

Scrivi che il rapporto con i tuoi figli è «quasi inesistente». Ok. E perché?

Ti invidio il tuo appartamento in rue de Rivoli, anche se deve esserci un gran baccano. Dai direttamente sulle Tuileries?

Stamattina pago il conto della giornata di ieri. Eravamo in pochi in cucina e quando è così la pressione è moltiplicata per dieci. Bisogna mantenere la calma e sapersi arrangiare. Fino a lì ci arrivo, ma i miracoli ancora non li so fare. Lavorare di fretta non mi piace per niente. Vorrei che i miei piatti fossero tutti perfetti, nessuno escluso. Ma gli chef imparano a vivere sotto pressione, soprattutto durante i picchi del pranzo e della cena. Spero di riuscire a gestirlo meglio con l'età.

Tu cucini, Jean? Tu, Esther, so di sì, ne abbiamo anche parlato. A proposito, ho cercato delle specialità del Nord e proverò a fare il waterzooï e la carbonade. Anche i waffle, quando mi riconcilierò con lo zucchero (piccola parentesi per Esther).

Adesso, Jean, devo parlarti di mia moglie e di mia figlia. Da quando Adèle è nata non so più su che pianeta vivo. Ho scoperto la felicità immensa dell'essere padre. Peccato che tu l'abbia scansata. Per Juliette, sua madre, è stato tutto il contrario. Odiava essere incinta. Faceva degli incubi, si vedeva brutta, non sopportava di dover camminare lentamente, si lamentava senza sosta. Una palla. Me ne diceva di ogni per qualsiasi cosa dicessi o facessi. Prima di quel momento Juliette non era mai stata né capricciosa né umorale. Non capivo cosa le era preso, ma non mi preoccupavo. Ero solo sorpreso, e nervoso. Ho messo in conto alla gravidanza il suo comportamento e intanto incassavo. Mi sono detto che le cose sarebbero migliorate dopo il parto. Mi sbagliavo su tutta la linea. C'era un non so che di vile nel mio negare l'evidenza. Sarebbe bello, «un je-ne-sais-quoi» come nome di un piatto, no? Ha un lato leggero e misterioso che mi piace…

Quando è tornata dalla clinica, Juliette piangeva per un nonnulla. Ricordo che mi sono detto: «Sarà forse quella strana cosa che chiamano baby blues. Cazzo quanto dura però». Occuparsi di Adèle le costava, non le veniva naturale nulla. Le dava il biberon, la cambiava, la prendeva cinque minuti in braccio, a orari fissi, ma non era presente a sé stessa. Si comportava come un automa. Quando tornavo dal ristorante mi capitava sempre più spesso di trovare Juliette chiusa in camera nostra, distesa sul letto e con gli occhi spalancati. Adèle piangeva nella culla, ma lei non la sentiva. Non voleva sentirla. E non riusciva a dirmi cosa avesse. Brancolavo nel buio. Tutto quello che amavo di mia moglie, la gioia, l'energia, era sparito. Ho lasciato passare i giorni, sperando che il suo stato migliorasse. Al ristorante ero teso. Più il tempo passava e più mi dicevo che era da pazzi lasciarle in casa da sole. Non mi fidavo delle reazioni di Juliette, ma non vedevo più lontano del mio naso. Lasciavo perdere. Il dramma, il dramma vero mi rifiutavo di guardarlo in faccia. Moltiplicavo i viavai tra casa e ristorante e più di una volta mi sono quasi schiantato con lo scooter. Volevo che Juliette mi parlasse, ma non ci riusciva. Anzi, se la prendeva con me.

Oggi ho un problema vero: non riesco a cancellare l'immagine di Juliette in quei giorni. Una donna totalmente fuori di sé, con quella luce folle nello sguardo. Era gelosa di Adèle. Ti pare? Di sua figlia. Non sapevo nemmeno che fosse una cosa possibile. Vorrei far sparire in fondo al cervello quella donna smarrita che sono arrivato a non sopportare più. C'erano volte in cui dovevo resistere alla tentazione di trascinarla fuori dal letto per scuoterla dall'inerzia. Ma vorrei anche far sparire l'uomo che ero io in quei giorni, incapace di aiutarla, di rassicurarla.

Da quel momento riconosco che la depressione è una malattia che non capisco. Non riesco a provare compassione per chi ne soffre. Anzi, mi viene da dirgli: «Santo cielo, piantala di piangerti addosso e fa' qualcosa! Cosa credevi, che la vita fosse un'infinita, tranquilla scampagnata?». E non mi serve che mi dici che mi sbaglio di grosso, lo so di mio. Ero disorientato, capisci? In casi come questi, posso diventare un vero imbecille, smetto di parlare e metto il broncio, per darmi un contegno.

La Juliette che amavo tanto, che credevo di conoscere come le mie tasche, la mia amante, moglie e amica era sparita. La pazienza non è il mio forte. Sono stato duro con lei. Ma ero allo stremo e mi difendevo così. Lei continuava ad alzarsi a orari fissi per occuparsi di

Adèle, poi tornava a letto o si metteva sul divano con una rivista. Il giorno in cui ho capito che non leggeva una riga ma fissava la pagina, sono andato nel panico. Le ho suggerito di prendere appuntamento con il nostro medico. Mi aspettavo andasse su tutte le furie, che si opponesse con un no categorico. Invece ha accettato subito, come se aspettasse soltanto il mio permesso. Quell'imbecille le ha prescritto vitamine e riposo. Secondo lui un bel mattino si sarebbe svegliata e del suo baby blues nessuna traccia, ne era certo. Che fregatura! Abbiamo perso due mesi. Il suo stato è peggiorato. In realtà, aveva una depressione post-partum. Prima volta in cui sentivo parlare di questa malattia. Da quel momento, la storia è questa: è stata ricoverata in un ospedale psichiatrico, poi trasferita in un'unità di maternologia, dopo è stata mandata a casa, e alla fine se n'è andata di casa e ha lasciato me e Adèle soli. Oggi, ci scriviamo. Mia madre è venuta a darmi una mano. Non faccio orari ideali per una tata.

Se mi avessero detto che un giorno avrei raccontato tutta questa storia a uno che non ho mai visto… e a te, Esther!

Dai, come dice un mio amico, ci si becca,

Nicolas

<u>Jean a Esther</u>

Parigi-Bruxelles,
22 febbraio 2019

Cara Esther,
per una volta, stranamente, sono sul treno.
Dato che mi sembri una persona attenta al meteo,
ti informo che piove. La campagna immersa nel
grigiore mi fa salire il magone.

Ho riletto la prima lettera che ti ho scritto.
Sono solo un personaggio lugubre, insensibile e
piagnucoloso, tra l'altro. Se fossi al tuo posto
mi licenzierei immediatamente per noia.

Sono nato e cresciuto a Parigi. I miei genitori hanno avuto quattro figli — io sono il secondogenito. Siamo stati tutti mandati in collegio
a undici anni. Dopo il Polytechnique, mio padre
ha fatto una bella carriera nel settore privato,
mia madre ha studiato contabilità. Nessuno sa
come mai, nemmeno lei probabilmente. Poco importa. Una volta sposata ha deciso che non avrebbe
lavorato. Si sono sposati in chiesa. Mia madre
è diventata una fervida praticante, mio padre
non lo era particolarmente. Abitavamo su avenue
Foch. I nostri genitori erano severi, inflessibili sulle buone maniere, attenti all'opinione
della gente, ma non erano cattivi. Avevano una
cosa in comune: non erano fatti per avere figli.
Ma così ha voluto il Signore… Contrariamente a
mio padre, mia madre proveniva da un ambiente
molto modesto. Mia nonna materna, Manine, di cui

ti ho parlato nella lettera precedente, lavorava ai Magasins réunis Étoile nel diciassettesimo arrondissement. Adesso credo sia diventato una Fnac. Mi sentivo un po' a casa in quel piccolo negozio. Aveva una dimensione umana, non come le Galeries Lafayette o il Printemps, dove mia madre mi trascinava per comprarmi i vestiti. Manine era rimagliatrice, un mestiere che è praticamente sparito con lei. L'ultimissima rimagliatrice, mi hanno detto, aveva un negozio su rue Tronchet. Quando scrivo cose del genere, ho l'impressione di essere nato nell'Ottocento! Comunque, Manine era affettuosa, divertente, e diceva le cose come stavano. Tra i nipoti io ero il preferito e non lo nascondeva. Con mia madre, che era la sua unica figlia, aveva un rapporto distante. Da quando si era sposata, suppongo. «Mia figlia è diventata una bigotta con la puzza sotto al naso, non lo posso sopportare, lo capisci vero tesoro?» mi confidava. A renderla più triste non era tanto che la figlia recitasse la parte della gran signora, ma che si vergognasse del mestiere di sua madre, al punto di chiederle di smettere. Si sarebbe occupata lei di mantenerla. Per Manine era fuori questione. A mia madre sfuggiva la soddisfazione che mia nonna provava quando al mattino andava a lavorare. Manine era dotata per i lavori di precisione, che richiedevano accortezza e concentrazione. Si sentiva a suo agio con le clienti, per la maggior parte donne modeste come lei, che le affidavano calze e collant. Rimagliava il nylon, riprendeva le smagliature, mascherava gli strappi, chiudeva i buchi. «Mi guadagno il pane» mi diceva con fierezza.

I miei genitori mi lasciavano volentieri dormire da lei il sabato sera. A una condizione: che mia nonna mi portasse a messa la domenica mattina, a Levallois, vicino a casa sua. Aveva promesso, ma ci siamo andati solo una volta, per sapere il nome del prete e avere presente il posto, per precauzione. Manine temeva che mia madre si presentasse senza avvisare. Allora passavamo l'ora della funzione al bistrot di fronte alla chiesa. Io ordinavo una granatina, lei una birra, e giocavamo a ramino tenendo sott'occhio chi arrivava. Avevamo un piano: dovevamo essere sempre pronti ad abbandonare il tavolo a gran velocità e a infilarci in chiesa dalla porticina di lato, che restava aperta durante la messa. Ma non è mai venuta. Mi sono domandato spesso se la nostra strategia avrebbe funzionato. Oggi, sono convinto che mia madre non ci aveva mai creduto.

Andavo a trovare mia nonna ai Magasins réunis ogni volta che potevo. Mi piaceva guardarla mentre si dava da fare al suo tavolino di legno con il viso chino sul tessuto illuminato da una lampada. In attesa che finisse, me ne stavo paziente nell'angolo libreria. Avrei potuto passarci ore tra tutti quei libri per ragazzi. Non appena usciva un nuovo titolo di Enid Blyton lei me lo comprava. Per me avevano più valore dei regali dei miei genitori, o dei soldi che avevo in tasca. Poi tornavamo a casa sua, in autobus, direzione Levallois-Perret. Mi cucinava le migliori patate saltate del mondo e un indimenticabile gratin di zucchine con la besciamella. Mi coccolava, mi portava al Bois de Boulogne a fare i picnic, al parco divertimenti, oppure andavamo al cinema sugli Champs-Élysées. Com'ero felice. Le volevo molto bene, ero premuroso. Con lei ho dato il meglio di me.

La vigilia di Natale la passava a casa nostra, come pure i miei nonni paterni. Loro erano molto gentili con noi, ma un po' distanti. O forse ero io a esserlo con loro. Li vedevo solo due volte l'anno, non li ho conosciuti bene. Quella serata era una tortura. A casa nostra, nel nostro grande appartamento haussmaniano, non riconoscevo più Manine. Mi guardava appena. Sprofondata in un divano di pelle nera, quasi spariva tanto si faceva piccola. Era incongrua, fuori luogo, in quell'arredo freddo e di design. Non spiccicava parola, teneva la sua flûte di cristallo con mille precauzioni. Non le piaceva lo champagne, avrebbe preferito bersi una Leffe, ma non era possibile. La osservavo, così a disagio. Non potevo fare niente per lei se non rivolgerle dei sorrisi, che però non notava o fingeva di non vedere. Il nostro salotto era grande tre volte il suo appartamentino, il lusso in cui vivevamo la intimidiva. Avrei voluto prenderla per mano e scappare a casa sua, per rimpinzarci di patate saltate, stravaccati nel suo vecchio divano sfondato davanti alla tv. Di nuovo complici. Non abbiamo mai parlato di quei Natali atroci. A partire dalla settimana dopo, tutti e due facevamo come se non fossero mai esistiti.

Tra madre e figlia era semplice e triste insieme. Per impressionare la prima, la seconda esibiva piatti e sottopiatti, ostentava il suo fasto, quando invece avrebbe dovuto essere sobria, sacrificare le sovrastrutture in favore della semplicità. Vivere nel lusso rassicurava mia madre. Come aveva negoziato questa debolezza colpevole con l'aldilà? È un mistero. Ma era incapace di immaginare che qualcuno potesse pensarla in modo diverso. Quanto a mia nonna, non faceva nessuno sforzo per riavvicinarsi a sua figlia. Criticava e respingeva sistematicamente tutto quello che veniva da lei. Non riuscivo a immaginarle giovani, madre e figlia sotto lo stesso tetto. Manine trovava suo genero «vivace come un ruscello secco». Sono sicuro che le facesse pena.

Ecco la mia infanzia. Il bello e il brutto. Il collegio non mi ha fatto né caldo né freddo. L'ho accettato. Il posto non era male, la maggior parte dei professori erano simpatici e in generale c'era una bella atmosfera. Mi sono fatto dei buoni amici.

Ma ora, Esther, parlami di te. So soltanto che vivi a Lille, che sei una libraia e che organizzi laboratori di scrittura. Dimmi di più.

Un abbraccio,

Jean

P.S. Se non sbaglio, nella prima lettera siamo tutti tenuti a dire da cosa ci difendiamo. La prof ne è esente?

Lille,
28 febbraio 2019

Jean,
senza l'ictus che ha ucciso mia madre, non credo che mio padre — un uomo dal carattere indipendente, che ha trascorso la giovinezza a girovagare zaino in spalla per il mondo — sarebbe stato il padre che poi è stato, inquieto, attento al minimo gesto e fatto che mi riguardasse, dedito anima e corpo. C'è un prima e un dopo nella vita di François Urbain. Se ami i romanzi polizieschi, il nome François Perceval forse ti dirà qualcosa. Era il suo pseudonimo.

Professore di lettere al liceo, a quarantatré anni si è ritirato dall'insegnamento per dedicarsi alla scrittura. Con il rigore di un metronomo, ogni due anni pubblicava un romanzo che poi incontrava un certo successo. Dei polizieschi dalla trama nera e disperata. Con i suoi lettori era distaccato e quando li incontrava, alle fiere o nelle librerie, si mostrava tutt'altro che cordiale. Era taciturno, rispondeva alle domande a monosillabi, per finire il prima possibile. Era già tanto se abbozzava un sorriso quando gli dicevano quanto avevano apprezzato il suo libro. Eppure io so che ne era lusingato.

Sono apparsa in tutti i suoi romanzi, come protagonista o semplice figurante. Sono stata cameriera in un lugubre bar d'hotel a Parigi, guardiana di museo ad Amsterdam, un cadavere ripescato troppo tardi nelle acque della Loira, a Nantes, una donna dispersa ad Arcueil. Fisicamente, mi descriveva proprio com'ero; psicologicamente, esagerava i miei tratti più caratteristici. Che poi è come li vedeva lui. Ero simpatica, intelligente, cocciuta, musona e sognatrice. Da bambina a ragazza, da ragazza a donna adulta, sono cresciuta insieme ai suoi libri. I ruoli di vittima o cadavere non mi piacevano, io brontolavo e lui fingeva di stupirsi. «Perché pensi che si tratti di te? Ti sei dimenticata che è un romanzo?» si divertiva a rispondermi, senza aspettare replica. La sua fonte d'ispirazione primaria era la malinconia. Io ero la seconda. Oppure il contrario.

Sentivo il suo sguardo su di me quando andavamo al parco e mi allontanavo per giocare. Riuscivo a scorgere la sua preoccupazione quando mi portava alle feste di compleanno. Manifestava un entusiasmo eccessivo dal vetro dell'autobus che mi portava al campo scuola. Un mal di testa, un neo che trovava sospetto, una digestione difficile, e si precipitava dal medico.

Era il 15 ottobre 1982, nel tardo pomeriggio, quando la vita dei miei genitori subisce un tremendo scossone. Mio padre leggeva sul divano in sala. Hélène, mia madre, si è chinata su di lui per dargli un bacio rapido prima di uscire a comprare le mele. Mentre lui sollevava la testa da *Sur la terre comme au ciel*, il romanzo di René

Belletto, lei scendeva già le scale del palazzo. Sulla via del ritorno, a pochi passi da casa, mia madre si è accasciata sul marciapiede. Le mele sono scappate dalla retina e sono rotolate nel canale di scolo. I capelli lunghi e rossi le nascondevano il viso, che aveva sbattuto contro il marciapiede. Non si muoveva più, sembrava dormire. Il cervello era affogato in un mare di sangue. Un'emorragia dovuta a un'arteria rotta. Il sangue si riversava con la forza di una diga appena ceduta, distruggendo tutto al suo passaggio. Quando la vicina ha suonato alla porta per avvertire che Hélène aveva avuto «un malore», mio padre voltava l'ultima pagina del libro. Gli restava solo l'epilogo da leggere, che ti ricopio qui:

«Siamo stati felici. Mi sono riempito del suo odore, dei suoi capelli i cui riflessi rossi erano moltiplicati da una piccola lampada accesa lontano dal letto, della sua pelle nivea, delle sue mani sottili, ferme, eleganti, che ho stretto e baciato mille volte e con cui mille volte lei ha accarezzato il mio corpo».

Il coma fu breve. Mio padre e il medico non ebbero il tempo di prendere in considerazione un intervento, di prepararsi a un nuovo attacco o di porsi domande sul dopo e le possibili conseguenze, sulla riabilitazione, la prevenzione... Mia madre non ha dato loro modo di tergiversare e sperare. Era determinata, non sopportava le vie di mezzo e gli indugi, con lei era tutto o niente. Lo ha dimostrato un'ultima volta, morendo velocemente e senza prolungamenti.

Verso le sei di sera, mio padre si chiedeva se la torta di mele sarebbe stata pronta per cena. L'indomani, all'alba, prendeva un ascensore verso la camera mortuaria insieme al corpo di sua moglie disteso su una barella, coperto da un lenzuolo bianco. Le camminava accanto e le teneva stretta la mano che spuntava da sotto il sudario.

Il decesso è stato dichiarato il 16 ottobre 1982, alle 3.03, al policlinico universitario di Lille. Mio padre è rimasto lunghi minuti con la faccia tuffata nei capelli di mia madre, per «catturare il suo odore, quel miscuglio di gerani e terra dopo la pioggia», mi ha scritto anni dopo. Da quel giorno, si è ostinatamente rifiutato di mangiare mele, come se fossero loro le responsabili. Appena vede una composta o una torta di mele, si gira dall'altro lato. Ha abbandonato il romanzo di René Belletto senza leggere le ultime righe. Non saprà mai come si chiude la storia rocambolesca di David Aurphet. Io sì. David Aurphet mi fa pensare a mio padre. Come lui, era un po' depresso, molto disilluso e dotato per l'umorismo nero.

Che sia chiaro, non ho nessun ricordo della morte di mia madre. Ma mio padre me l'ha raccontata così tante volte che fa parte della mia vita. Ho trattenuto ogni dettaglio, creandomi la mia verità.

Qualche giorno dopo la sepoltura è iniziata la sua inchiesta. Ha interrogato il fruttivendolo, per sapere se aveva notato qualcosa, una difficoltà di eloquio, problemi alla vista o di equilibrio. La risposta fu negativa. Ha frugato nei cassetti di sua moglie, trovandovi delle analisi del sangue vecchie di cinque mesi, le ha mostrate al suo medico nella speranza che in mezzo a leucociti, piastrine e lipidi, trovasse una percentuale allarmante, un tasso anomalo passato inosservato o a cui mia madre non aveva voluto accennare. I risultati erano impeccabili. Hélène Urbain, trentaquattro anni, scultrice che non fumava, beveva con moderazione, correva la domenica mattina, andava il martedì sera a lezione di tango con suo marito, aveva una lunga aspettativa di vita. Mio padre avrebbe voluto decifrare i segnali precursori del decesso della sua sposa. Poiché non era stato vigile abbastanza, avrebbe potuto addossarsi la responsabilità della sua morte. Sprofondare nella disperazione. Voleva solo questo.

Avrò avuto diciassette anni quando ha allentato la pressione su di me. È assurdo, se ci ripenso. È l'età in cui gli amici freschi di patente si mettono al volante un po' alticci, l'età in cui gira la droga, e le ragazze si innamorano del primo scemo che passa...

Mio padre si è suicidato tre anni fa, in casa sua, senza lasciarmi una lettera d'addio, senza una spiegazione. La mia rabbia non è ancora sbollita da allora.

Il ritratto che ti faccio di lui è quello di un uomo angosciato, cauto, ma è solo una parte della verità. Era un uomo pieno di fantasia e desideri, per noi due. Mi ha trasmesso l'amore per i viaggi e la letteratura. Durante le vacanze, visitavamo le case degli scrittori. Quella di George Sand a Nohant-Vic, di Balzac e di Victor Hugo a Parigi, di Cervantes a Valladolid in Spagna, di Colette a Saint-Sauveur-en-Puisaye, di Jean de la Fontaine a Château-Thierry, di Edmond Rostand nei Paesi baschi. Siamo stati anche negli Stati Uniti, sulle orme di Steinbeck a Salinas, di Faulkner a Oxford. Mi ha regalato un'infanzia e un'adolescenza meravigliose.

Tutti noi edifichiamo la vita adulta sull'infanzia. Essa può essere più o meno solida, stabile, sicura, ma dice molto sulle nostre paure, sulle nostre incapacità, sui nostri entusiasmi e sul fuoco che ci anima. Prima di andare avanti in questo scambio, dovevo parlarti del mio passato ed era importante che tu mi dicessi del tuo. Adesso è cosa fatta.

Come promotrice di questo progetto, contavo di sviare la domanda che hai fatto bene a pormi: da cosa mi difendo? Con quello che ti ho appena raccontato, posso dire che mi difendo soprattutto dalla rabbia.

Invece tu, perché pensi di aver tradito tua nonna?

A proposito del meteo, ti sbagli, in realtà non mi interessa. Sono circondata da persone che s'informano, per sapere che tempo farà tra due ore, un giorno, una settimana... è una questione di praticità. A seconda se pioverà o sarà bello, uno sa come vestirsi, si organizza, ma quest'abitudine mi esaspera. O piuttosto, mi mette ansia. Mi piace che le giornate mi riservino delle sorprese, e i cambiamenti del tempo ne fanno parte. Il grigiore o il sole non hanno alcuna influenza sul mio umore. Poco importa se faccio la figura della stupida con il vestito leggero e i sandali sotto la pioggia o con gli stivali e le calze quando si muore di caldo — evento comunque più raro se si abita a Lille, questo te lo concedo.

Un abbraccio,
Esther

Ad anni alterni dimentico il compleanno di mio cugino. Quest'anno no. Sono persino stata la prima a chiamarlo. Ha risposto Alma, Raphaël dormiva ancora, e abbiamo parlato un po' prima che me lo passasse. È vero che ho iniziato con dei piccoli rimproveri. Perché non si sistemava con Alma? Perché non facevano un bambino? Altrimenti lei avrebbe finito per lasciarlo, a ragione, e lui poi sarebbe diventato un vecchio rimbambito acido e solitario. «Mi piace il tuo modo di farmi gli auguri di primo mattino, cara cugina. Che meraviglia!» Abbiamo riso, gli ho chiesto scusa. Mi ha raccontato del viaggio a Stoccolma con Alma, che avevano progettato per il mese di giugno. Di un ristorante in cui andremo la prossima volta che tornerò a Parigi. Mi ha chiesto come andasse con i miei allievi. Intuivo il suo sorriso all'altro capo del telefono, sapendo che non prendeva sul serio il mio laboratorio. Per tutta risposta, ho manifestato appieno il mio entusiasmo: «Sta andando oltre le mie aspettative. Stanno sfruttando il corso per confidarsi con degli sconosciuti, per porre domande a sé stessi e agli altri sui problemi dell'esistenza che non riescono a risolvere da soli. È formidabile, disorienta un po', ma me lo tengo stretto. Saresti stupito dalla rapidità con cui si sono avvicinati tra loro. Sono convinta che avergli chiesto da cosa si difendono durante il nostro primo incontro, proponendo di rispondere ad alta voce di fronte a tutti, abbia accelerato la confidenza. Tra l'altro, mi verrebbe da chiederlo anche a te». Ha ridacchiato. Ho ripreso: «Mi forzo per non immischiarmi nelle loro vite private quando ci telefoniamo. In fondo sono la loro insegnante, non la loro psicologa». Raphaël mi ha risposto bonario che era convinto che me la cavassi come una vera chef, che dirige la brigata con mano ferma ma sa quando servire la ricompensa del dolce. «Forse hai ragione a non volere figli» concludo. «Più ne so di loro e più dico a me stessa che maternità e paternità sono a volte dei terreni minati che possono farci precipitare dal lato oscuro della forza. È incredibile quello che ci portiamo dentro.»

Nicolas a Juliette

Parigi,
25 febbraio 2019

Juliette,
forse sei tornata a casa troppo presto l'ultima volta. Non eravamo pronti, nessuno dei due. Io non riuscivo più a pensare, mancavo di obiet-

tività sia su di te sia su noi due. Spero che non ci rimarrai male, ma la nostra attuale separazione mi sta facendo bene. Non me lo aspettavo. È come se uscissi da una specie di tornado. Stordito ma vivo. Abbiamo passato mesi a ferirci reciprocamente, a farci la guerra. Non capivo perché eri così dura quando eri incinta, non ti riconoscevo più. Ho stupidamente pensato che fossi stanca e che si sarebbe sistemato tutto, dopo. Ma ne abbiamo già parlato, probabilmente è inutile scriverlo, non possiamo tornare indietro, ma sai, per me è un'ossessione: come ho potuto non vedere al di là del mio naso e accontentarmi di un «le cose andranno meglio quando il piccolo sarà nato»? Come ho potuto vivere con te per sedici anni e conoscerti così poco? Come hai fatto a nascondermi delle cose così essenziali, vitali? Non hai avuto fiducia in me e non so per quale motivo. Ero furioso, prima con me poi con te. Quando all'incontro ho detto che mi difendevo dal senso di colpa, tu hai sollevato le tue belle sopracciglia, su cui mi piace così tanto posare le labbra quando ho bisogno di dolcezza, e ti sei morsa il labbro inferiore. Fatti da te, sono gesti di profondo scetticismo. Certo che ho dei rimorsi. Quando eri incinta mi sono comportato come se tutto andasse bene. Poi, quando è nata Adèle, non ho avuto pazienza e non ho voluto vedere la gravità del tuo stato.

Non so se vuoi tornare su questi argomenti. Secondo me dovremmo. Cosa ne pensi? Non abbiamo altra scelta, no?, a parte scriverci.

Se vuoi parlare di Adèle, deve venire da te.

Quando vieni a prenderla, mia madre è contenta di vederti. Le cose vanno bene tra lei e la piccola, ma non so perché te lo dico, te ne sarai resa conto da sola. Per me è più dura. Vivere di nuovo con mia madre, a quarantun anni, non è una gran festa, ma ci sforziamo entrambi. Il prossimo fine settimana deve tornare a Bourg-en-Bresse. Mia sorella si è proposta per venire ad aiutarmi. Ho accettato.

Rispondimi, dimmi come stai, non lasciarmi solo in questo percorso.

N.

P.S. Dovresti passare a ritirare la tua posta.

Juliette a Nicolas

Malakoff,
28 febbraio 2019

Nicolas,

sapessi come vorrei poterti scrivere che sto meglio e che sto risalendo la china, piano piano ma con fermezza. Ahimè, non è così. Quando vedo un miglioramento, e penso di essermi staccata dal fondo del baratro, stai certo che l'indomani ci sprofondo di nuovo. Fortunatamente, quando sono ai miei forni, resisto, dimentico tutto. Da quando ho cambiato sonniferi dormo meglio, e non ci metto più due ore a riemergere dal sonno.

Mi sono trasferita a Malakoff, nel locale accanto al negozio, quello che fungeva da magazzino. In questa stanza minuscola mi sento al sicuro. Dato che mi trovo sul posto, sono io ad aprire la mattina. Émeline e Antoine arrivano più tardi. Iniziare la giornata all'alba mi ricorda i nostri primi anni a Parigi.

Ti stai facendo domande che non hanno senso. Come puoi credere che ti abbia nascosto delle cose? Non è a te che le ho nascoste, ma a me. Quindi, quali sono queste «cose»? Cos'è che non quadrava all'inizio? Cos'è quel mostro nascosto nel mio animo e che è risorto con la nascita di Adèle? Cos'è la maternità? Questo periodo sublime della nostra esistenza che ci viene decantato da secoli? Lo sbocciare del corpo? La felicità assicurata? Il sogno avverato? Per me, il parto ha segnato la discesa all'inferno. Non sai quanto è stato doloroso. Non voglio tornare all'origine di tutto. Ci pensa già la mia psichiatra a costringermi a farlo.

Quando Esther mi ha chiesto da cosa mi difendo, ho pensato a diverse risposte: alle rinunce, alla follia, al desiderio di morire, alla fuga, alla rabbia, all'inabissamento. Ho scelto l'inabissamento: senza dubbio, è la sensazione più spaventosa che mi è toccato vivere durante i primi mesi di depressione.

Quando vengo a prendere Adèle, mi fermo a parlare un po' con tua madre. Non mi sento molto a mio agio. Mi conosce abbastanza per essersene resa conto, non ho dubbi al riguardo. Per colpa mia si è trasferita da noi per occuparsi di nostra figlia. Lei sì che è rassicurante e materna. Non ho parole per dirle quanto le sono debitrice. Ma non posso impedirmi di odiarla per questo. Ha preso il mio posto accanto a Adèle. Un posto che io le ho lasciato, ne sono consapevole. Come sono confusa, paradossale, vero? È questo che pensi in questo preciso istante, no? E hai ragione. Sono pessima, e ti esaspero. Che stronza.

Di te mi fido, è in me che non ho nessuna fiducia. Non hai niente da rimproverarti. Hai fatto quello che hai potuto. Non potevamo prevedere quello che mi è successo.

Perché non vuoi parlarmi di Adèle, perché vuoi che venga da me?

Con affetto, baci,
Juliette

GLI ASSENTI

<u>Jeanne a Juliette</u>

Verjus-sur-Saône,
27 febbraio 2019

Cara Juliette,
non sapevo quasi niente della depressione post-partum prima della tua lettera. Non avrei saputo fare la distinzione con il baby blues. È imperdonabile, soprattutto da parte della moglie di un medico!

Per me la maternità è stata una rivelazione. Anche se non volevo figli, è stato bello essere incinta. Aurélie era una bambina molto vivace, con un bel caratterino. Suo padre era pazzo di lei. Non so quante escursioni hanno fatto, su quante piste da sci sono scesi insieme! Prima di entrare al liceo, Aurélie non era una studentessa particolarmente brillante, ogni anno veniva promossa per il rotto della cuffia. Io e suo padre non eravamo molto esigenti e io non sono mai riuscita a trasmetterle la passione per la musica. Era portata per gli sport, soprattutto la pallacanestro e l'atletica. Una sera, aveva quindici anni, ci ha annunciato in tono solenne che voleva diventare medico. Chiaramente a suo padre ha fatto piacere, ma lui come me ha pensato fosse un ghiribizzo passeggero. Ci eravamo anche fatti una risata, come due stupidi. Abbiamo avuto torto. Ha studiato medicina a Parigi ed è diventata ginecologa. Aveva ventun anni quando Hadrien è morto. Ha iniziato a esercitare in ospedale, sempre a Parigi, e poi ha scelto le missioni umanitarie. Voleva viaggiare, aiutare gli altri. Se pensi a una ragazzina che non riusciva a stare seduta al suo posto, che non appena poteva si scapicollava dall'altra parte del mondo, la decisione era logica: ha iniziato a lavorare in molti Paesi dell'Africa per poi stabilirsi nella Repubblica Centrafricana. Si è allontanata da me, in maniera lenta ma inesorabile. Eppure, eravamo vicine. All'inizio, tornava tre settimane in estate. Poi due, poi zero. I primi tre anni in cui mi stupivo della sua assenza, le ho proposto più volte di raggiungerla io. Ma aveva sempre una ragione valida per impedirmelo. Non sapeva dove sarebbe stata nel periodo che le indicavo, o il posto era troppo pericoloso, oppure erano proprio le tre settimane in cui prevedeva di tornare in Francia... Qualche tempo dopo, dato che non demordevo, mi informava che non poteva liberarsi. L'ho chiamata, le ho scritto, le ho inviato delle mail... Le sue risposte erano sempre più stringate: «Ciao mamma. Grazie per le tue parole. Non preoccuparti per me. Io sto bene. Spero anche tu. Un bacio». Leggi qui Juliette, ho tirato fuori alcune lettere per te: «Non posso ospitarti a casa mia in questo momento. Più in là perché no, ma ne riparleremo quando sarà il caso. Un bacio».

Non so dove ho sbagliato. Forse è successo qualcosa che non ho visto, che non ho capito. Sarei dovuta andare a trovarla almeno una volta, senza avvertirla. Non lasciarle scelta. Avrei visto quello che non volevo o non potevo vedere. Mi è mancato il coraggio, in più l'idea di impormi mi ripugna. Ho passato in rassegna centinaia di volte i nostri ricordi insieme senza trovare niente. Dov'era lo strappo? Cos'avevo fatto di male? O forse era lei ad aver commesso qualcosa di inconfessabile? A furia di provare a capire, di forzarmi a guardare al passato, stavo diventando pazza. Mi fumava il cervello, ma niente. Ogni volta mi ritrovavo in un vicolo cieco.

Dopo una delle sue mail in cui mi augurava buon Natale, senza tenerezza né rimorsi, ho deciso di non scriverle più se non fosse stata lei per prima a prendere l'iniziativa. Non volevo più fare l'elemosina. Ero arrivata a questa triste constatazione: cercavo di farle pena. Ne avevo abbastanza di non darle tregua per poterla vedere, per capire. Renderla partecipe della mia inquietudine era diventato insopportabile. Tanto più che lei non si vergognava di mostrarmi quanto fosse stanca delle mie domande. Dopo anni a questo ritmo avevo i nervi a pezzi. Basta. Avevo sperato di provocare una sua reazione, non mandandole più mie notizie. Invece, come se niente fosse. Dovevo rassegnarmi a vivere con questo vuoto nello stomaco, quest'assenza incolmabile. Non passa giorno che non pensi a lei. Mi invia ogni anno una mail per il compleanno e per Natale. Io le rispondo con tono neutro, come il suo. E lei non se ne stupisce. Non mi scrive più che l'estate prossima tornerà. Il mio atteggiamento deve averla liberata da un peso. Questo è quello che ho capito.

Non siamo obbligati ad accettare tutto da parte dei nostri figli, Juliette, o di perdonarli per ogni cosa. Non sto meglio. Ma vivo meglio.

Jeanne

Juliette a Jeanne

Malakoff,
5 marzo 2019

Cara Jeanne,

non ti ho detto che nel negozio di rue Montreuil ho un forno a legna. È uno degli ultimi modelli. Nel mio settore è difficile trovare impiegati fedeli. Io mi legavo troppo ai miei. Facevo castelli in aria, immaginandoci come una famiglia che cresce insieme. Li avrei aiutati a migliorare e saremmo stati come le dita di una mano, amici prima di tutto. Alcuni erano portati, ma alla fine mi lasciavano tutti. Pensavano fosse un lavoro troppo duro e malpagato. Cominciavano presto al mattino, finivano tardi la sera, spesso lavoravano anche il weekend… Ogni addio mi faceva arrabbiare. Perché cavolo hanno scelto questo mestiere, allora? Quando ho lasciato lettere per fare il pane, sapevo cosa mi aspettava. Loro, invece, sembravano cadere dalle nuvole. Ops, mi sono sbagliato, non pensavo fosse così dura. Altri volevano viaggiare, non sentirsi ingabbiati, non cedere alla routine. Altri ancora andavano a lavorare per le catene che producono pane industriale: paga migliore e orari più regolari. Non riuscivo a non essere l'antipatica con loro: «È così, non devi vergognarti se preferisci sfornare merda e avere il tempo per stravaccarti sul divano. Mamma mia, che bella prospettiva». La verità è che ero furiosa perché non avevo i mezzi per trattenerli. Quando ho aperto il mio primo forno la banca mi stava alle costole. E in più, presa dal trantran quotidiano dimenticavo i miei buoni propositi di incoraggiarli e lodarli. Alla fine, ho dovuto accettare che si può amare questo mestiere anche senza consacrarcisi anima e corpo, senza una smisurata ambizione (come la mia). Ho imparato a essere più conciliante, meno maniaca del controllo. È anche per questo che amo il mio lavoro: mi ha cambiata in meglio. Non sapevo cosa fosse l'indulgenza. Ero un impasto troppo duro, troppo freddo, appena uscito dal frigo, che andava lavorato, massaggiato, accarezzato, battuto, perché sprigionasse tutta la sua morbidezza, tutta la sua tenerezza.

Un abbraccio,
Juliette

Jeanne è combattuta tra la rabbia e l'incomprensione. Juliette avrà ricevuto la sua ultima lettera? Non una parola su Aurélie. Un po' di compassione, l'avrebbe apprezzata. Cosa crede? Che sia stato facile scrivere dell'assenza di sua figlia? In più, a sorpresa, Juliette non accenna nemmeno alla sua depressione. Che strano, pensa Jeanne, passare così di colpo a raccontare i suoi inizi come fornaia e i suoi problemi con i dipendenti.

Jeanne rilegge la penultima lettera di Juliette, quella del 24 febbraio. Le parlava per la prima volta della depressione, ma non era ancora capace di affrontare il suo caso personale per paura di ricadute. Forse aveva cambiato argomento in attesa di essere pronta. Jeanne decide di mettersi nei panni di Juliette e di lasciarle il suo tempo.

Nicolas a Juliette

Parigi,
3 marzo 2019

Juliette,
quando entro nel nostro appartamento, è la tua assenza che mi accoglie dietro la porta.

Mi salta alla gola e mi lascia a terra, KO. Mi rialzo. Faccio come se nulla fosse. Mia madre e Adèle mi aspettano.

Mi piace che tu sia paradossale. Sbagli a considerarlo un aspetto nuovo di te perché invece lo sei sempre stata. Certo, non fino a questo punto. Comunque sia, non ci stiamo scrivendo per farci queste cerimonie, ma per andare avanti. Se non siamo sinceri, forse non ci faremo del male, ma avremo fallito. Per mesi mi hai respinto, guardandomi come se fossi uno sconosciuto. Anzi peggio, come un nemico, ogni volta che non eri in grado di occuparti di Adèle e ci pensavo io al posto tuo. Preferisco sentire le tue parole confuse e irritate, le tue emozioni fragili e vorticose, tutto, piuttosto che l'indifferenza o l'odio. Stai meglio. Lavori di nuovo, passi due mezze giornate a settimana con Adèle in maternologia, fai progressi con la dottoressa. Ce l'ho con me per la mancanza di pazienza, per non aver capito quello che ti stava succedendo. Dopo tutti quegli anni insieme, avrei dovuto chiederti più spesso della tua infanzia. Pensavo che l'avessi miracolosamente digerita, sono stato davvero un ingenuo. Rispettando il tuo silenzio, mi sono dimostrato solo molto pigro.

Sì, se vuoi che parliamo di Adèle, l'iniziativa deve venire da te. È possibile che tu ci riesca senza più sentirti triste, colpevole, o altro? Devo esserne sicuro prima. Finora, nelle tue lettere non hai mai scritto che vorresti farlo e mi chiedi semplicemente perché io non lo faccio. Questione di sfumature. Se puoi, e se vuoi, raccontami delle tue visite in maternologia.

Al Camélia va tutto bene, nonostante i miei problemi personali. Yannick si è ammalato (ha preso la varicella a trentacinque anni, pensa te!), e pure Bernadette (lei, la bronchite), risultato? Per tutta la settimana scorsa abbiamo corso come matti. Non appena saremo di nuovo al completo voglio dedicarmi all'insapore. Colpa di Philippe, che è venuto a pranzo la settimana scorsa e mi ha regalato *Elogio dell'insapore*, un libro di François Jullien. Sapevo che nella cultura cinese, al contrario della nostra, l'insapore non ha una connotazione negativa, ma non lo consideravo un gusto vero e proprio. Ho scoperto le sue origini, le scuole che lo hanno ispirato, la filosofia, è una specie di ideale. Resta in bilico, impossibile da classificare, né zuccherato né dolce, né salato né acido. François Jullien scrive che lascia aperte tutte le «saporazioni» possibili, tutte le esperienze. Nella cucina cinese o giapponese, l'insapore è legato alla purezza dell'acqua, alla ricerca della serenità. È affascinante.

Devo lasciar perdere gli agrumi, sta diventando un'ossessione. Dopo il pranzo, Philippe mi ha aspettato e mi ha accompagnato a casa. Voleva vedere Adèle. Dice che ti somiglia sempre di più, tranne che per gli occhi. Mi ha chiesto di te. Ti manda un bacio. Voleva che gli spiegassi come mai sei partita di nuovo, ma ho glissato.

È strano, non riesco a parlarne con i miei amici. Ho paura di impappinarmi, di confondermi, e così preferisco starmene zitto. È difficile da raccontare questa tua cazzo di malattia.

Abbi cura di te.

N.

Dalla finestra, Nicolas guarda la ragazza sul marciapiede di fronte sollevare la saracinesca di una boulangerie. Il cielo è azzurro, senza nuvole. È una domenica mattina meravigliosa. È presto. Va verso la stanza di sua figlia facendo attenzione a non fare rumore. Sa che ha il sonno leggero. La luce che entra dalla finestra si riflette nei coniglietti del motivo della tenda. Si china lentamente sulla culla. Adèle non dorme. Guarda il soffitto. Lo sguardo fisso e il suo silenzio scatenano in Nicolas un vago terrore. Gli batte forte il cuore. Da quanto tempo è sveglia? Le sorride, le passa la mano sulla tutina, controlla che il lenzuolo non sia sporco, la solleva per annusarle il sederino. È pulita. Si chiede se stia bene, se soffra per l'assenza di Juliette. È in buona salute, cresce nella norma, ha appetito, ma chissà cosa percepisce della disperazione di sua madre. Che strascichi si porterà dietro? L'accoglienza è tutto per cominciare una vita... Nicolas la prende in braccio, la stringe: «Perché non mi chiami se non dormi, cucciolina mia? Siamo un po' persi senza la mamma, ma ce la stiamo cavando, no? Oh, piccola mia! Non sai quanto mi dispiace. La mamma ti vuole bene e presto tornerà a casa. Tu non c'entri niente, angioletto. Sì che torna. Quando sarà guarita vedrai com'è in gamba la tua mamma. Una chiacchierona che non la fermi mai, che sforna un'idea dopo l'altra. Vedrai, dopo una giornata insieme a lei dormirai come un sasso. Ma dobbiamo essere pazienti. Lo so che ti manca e che per un cucciolo stare senza la mamma non è la stessa cosa, è difficile, non è giusto, fa schifo. Ma ci sono io. Avrei dovuto raccontarti tutto prima, scusa piccola mia, perdonami luce dei miei occhi…». Nicolas l'abbraccia forte. Per la prima volta, scoppia in lacrime. Un pianto liberatorio che si riversa sul collo della piccola. Dice frasi sconnesse, impulsive, ma ogni parola lo solleva da un peso. Tende le braccia, alza sua figlia sopra la testa e la guarda. Adèle gli sorride.

<u>Juliette a Nicolas</u>

Malakoff,
13 marzo 2019

Nicolas,
descrivere quello che stavo passando mentre lo vivevo era impossibile. Non ero in grado di parlarne, nemmeno con te. Non sapevo che parole usare per quel marasma. Quanto avrei voluto saper dire: «Non provo niente quando sto accanto a mia figlia». E aggiungere, qualche settimana più tardi: «Mia figlia mi paralizza, è un peso che non posso portare. Lei deve vivere, io non per forza». Che frasi ignobili. Come l'avresti presa? Nessuno poteva capire cosa vivevo, mi sentivo sola al mondo. Ero un mostro, una creatura dannosa per sua figlia. Quando il dottore

— non mi ricordo né la faccia né il nome, però ti rivedo seduto accanto me che deliravo — mi ha spiegato che il mio baby blues si era trasformato in depressione post-partum ho provato una specie di sollievo. In quel preciso istante io, che non ero più capace di portare un ragionamento a termine, che ero tutta concentrata nella mia battaglia per arginare gli attacchi di panico prima che degenerassero (tentativi falliti su tutta la linea), ho pensato che se quello di cui soffrivo aveva un nome, allora non ero sola e anche altre soffrivano insieme a me.

Mi scrivi che avrei dovuto parlarti di più della mia infanzia e ti rimproveri di non aver affrontato l'argomento. Se lo avessi fatto, ti avrei mandato al diavolo. Ti avrei risposto che non avevo traumi per essere stata abbandonata da mia madre dopo il parto: non ne percepivo nessuno. La mia infanzia felice aveva messo in ombra quei primi giorni caotici, un semplice incidente di percorso, di cui tra l'altro non avevo ricordi. Quanto poteva pesare rispetto a diciannove anni di felicità accanto ai miei genitori adottivi, che mi hanno coccolata, amata, adorata, senza nascondermi niente della mia nascita? Non si può immaginare rapporto migliore tra genitori e figli. Il mio unico rimpianto era che la mia madre biologica non mi avesse lasciato una lettera per spiegarmi il suo gesto, o un suo ricordo, dato che ne aveva la possibilità. E dato che, sicuramente, l'avranno incitata a farlo. Tutto questo già lo sai.

Non evitavo l'argomento come sospetti. A domanda, rispondevo. Non mentivo, non distorcevo la verità quando dicevo che l'abbandono non mi aveva lasciato traumi. La nascita di Adèle lo ha risvegliato, come un vulcano addormentato che si rianima e devasta tutto al suo passaggio, riducendo la natura in cenere. Lo credevo spento per sempre.

Mi sono comportata male con i miei genitori. Rifiutando di vederli, privandoli della loro nipotina, li ho puniti; loro che sono stati i genitori migliori del mondo. Quando sarò pronta li chiamerò – o piuttosto gli scriverò una lettera. Prima di partecipare a questo laboratorio non ci avrei mai pensato, oggi mi sembra la soluzione migliore. Non mi sentiranno piangere, balbettare, esitare quando chiederò scusa, e dirò quanto li amo.

Non conoscere i propri genitori biologici, essere rifiutati, è una grande sofferenza. Ormai posso dirlo, scriverlo, ma devo ancora accettarlo e imparare a conviverci. È il lavoro che sto facendo con la mia psichiatra. E non toglie niente alla mia infanzia felice accanto ad Anne e Maxime.

I medici di maternologia mi dicono che faccio progressi, che il contatto tra me e Adèle risulta giorno dopo giorno più facile e naturale. Ho difficoltà a convincermene. Ho sempre delle crisi di panico quando mi lasciano sola con lei troppo a lungo. Ma sono meno frequenti, mi dicono. Per scatenarle mi basta sbagliare a svegliarla, non comprendere cosa vuole, o che lei si metta anche solo a rognare. Resto convinta di non essere in grado di occuparmi di lei, che è tutta colpa mia e mi viene da piangere. Quando le parlo evito il suo sguardo (e lei evita il mio, credo), allora ripeto quanto le ho appena detto forzandomi a guardarla, come mi consigliano lì in maternologia. Impariamo a giocare insieme. Adora le costruzioni. Da due settimane vuole tenersi in piedi, allora la aiuto ad aggrapparsi e a passare da un posto all'altro. La seduta termina con un confronto con la psichiatra e gli infermieri. Poi arriva l'ora di andarmene. Mi chiedo quando inizierà a gattonare.

Sì, mi piacerebbe che tu mi parlassi di Adèle, o piuttosto, di te e lei. Mi aiuterà a conoscerla meglio, ad avvicinarmi a lei più facilmente. Mi chiedi di non essere triste per i bei momenti che passate insieme. È impossibile. Prova a capirmi, Nicolas. Tutti questi giorni volati via senza di me! Sei tu che condividi il suo quotidiano, regoli il suo universo, le dai da mangiare, giochi con lei, la culli, la porti a passeggio, sai quello che le piace, che la fa ridere e la fa piangere. Mentre io passo con lei due mezze giornate a settimana, circondata da specialisti che interpretano i nostri gesti. Sono gelosa, sì, ma la gelosia non è paragonabile a quello che provavo prima del mio ricovero e che era rivolta contro Adèle. Tu eri felice accanto a tua figlia e infelice con me. Facevi tutto meglio di me, ero la più inutile delle madri. Il peggio veniva la sera quando non c'era più rumore e i pianti di Adèle, che non riusciva a prendere sonno, risuonavano nell'appartamento. E nella mia testa, come un ritornello: «Non ci riesco, Adèle, non capisco quello che vuoi». Tutte quelle ore interminabili sola con lei. Quanto ti ci voleva a tornare, Nicolas? Allora le gridavo contro: «Ti decidi a dormire?! Non ne posso più!». Poi arrivavi tu, stanco ma calmissimo. La prendevi in braccio, la cullavi, la rasserenavi. Tutto si sistemava. Odiavo i sorrisi e le carezze che le prodigavi. Mi sentivo inutile. Quella bambina si prendeva tutto lo spazio, mi uccideva lentamente. Non mi voleva. Mi dicevo che senza di lei non sarei impazzita.

Ti prego non ti arrabbiare, non giudicarmi. È quello che mi veniva in mente e di cui riesco finalmente a parlare.

Oggi invidio il legame che vi unisce, che si rinforza di giorno in giorno. Per me, il tempo perso non tornerà.

Con affetto, baci,
Juliette

Jean a Esther

Parigi-Chicago,
3 marzo 2019

Cara Esther,
il mio volo è in balia di grosse perturbazioni, per questo la mia grafia è mossa. Siamo

partiti in ritardo a causa di un temporale su Parigi. Ci stava aspettando sopra l'Atlantico.

Mi chiedi come mai penso di aver tradito mia nonna. Perché non mi ci è voluto molto per scoprire i piaceri che offrono i soldi quando piovono a fiumi e a comportarmi come un imbecille. Pensi che mia nonna, una rimagliatrice che ogni mese tirava le somme sul quadernetto, che andava fiera del suo libretto di risparmi — «in caso di bisogno» —, che faceva dei sacrifici per portarmi al parco divertimenti, avrebbe apprezzato di vedermi scialacquare così?

Io finivo di studiare e lei moriva d'infarto.

I primi licenziamenti non mi facevano dormire la notte, ma non è durata molto. I rimorsi pesavano poco se confrontati con quanto guadagnavo. I soldi sono la nostra prima motivazione, fanno la nostra felicità. Ma è difficile, per non dire impossibile, una volta diventati ricchi, darsi la giusta collocazione nella scala della vita, mantenere il senso della misura, e ovviamente il senso del denaro. Compili le note spese, tutto o quasi è alla tua portata, allunghi la carta di credito lanciando un'occhiata indifferente al totale, disdegni i prodotti non abbastanza costosi. Se ti senti in colpa, poi, puoi sempre staccare un generoso assegno a qualche associazione benefica. Io faccio così. Il denaro è la mia colonna vertebrale, è sempre lì, quando mangio, faccio affari, respiro, compro, vendo, faccio l'amore. Anche quando mi sento in colpa e quando smetto di sentirmi in colpa. Senza, non so divertirmi, amare, alzarmi al mattino. Può tutto, il denaro. È ciò che sono diventato. Mi comanda a bacchetta. Esercita il suo potere su ogni cellula del mio corpo, fa battere il mio cuore più veloce. Lo odio. Lo adoro. Chi sarei senza? Mi piacerebbe saper rispondere.

Forse ti sto scioccando, ma dal mio punto di vista il suicidio è un atto coraggioso, che rispetto. Decidere il giorno della propria morte è la scelta più libera che ci sia. Nonostante sia consapevole che è una grande violenza per chi ti sta accanto, e che alcuni pensano sia vile risolvere i problemi in questo modo. Spero che tu non provi né rimpianti né rimorsi nei confronti di tuo padre. Sono inutili. Possiamo fare molto per quelli che amiamo, ma non tutto.

Per concludere, mi piacerebbe farti due domande slegate tra di loro. Perché tuo padre (il suo nome non mi dice niente, ma non sono un grande lettore di gialli) non si è rifatto una vita dopo la morte di tua madre? Com'è che a una libraia viene in mente di organizzare un laboratorio di scrittura?

A presto,

Jean

<u>Esther a Jean</u>

Lille,
9 marzo 2019

Caro Jean,
come ti ho già detto, io e mio padre abitavamo
entrambi a Lille, a venti minuti di distanza.
Eppure, avevamo l'abitudine di scriverci. Quando parlo del legame particolare che ci univa,
mi chiedono sempre: «Lettere vere?». Sì, lettere vere. Scritte su carta, con la stilografica,
messe nella busta con un timbro e affidate alla
posta. Proprio come quelle che ci stiamo speden-
do io e te. La nostra corrispondenza è iniziata
qualche mese dopo che ero andata via di casa.
Avevo vent'anni. Esitavo a lasciarlo solo, e lui
mi ha gentilmente messo alla porta. Mi avrebbe
aiutato a pagare l'affitto, ma dovevo trovarmi
un lavoretto; secondo lui era arrivato il momento di diventare indipendente. Ci ho messo un
po' a trovare il coraggio di chiedergli come
aveva vissuto la prima sera senza di me. Avevo
paura che mi prendesse in giro, che mi rispon-
desse: «È andata benissimo. Perché me lo chiedi?
Non esagerare, non sei poi così lontana». Molto
dopo, in una delle mie lettere, mi sono decisa.
Ha risposto in tre parole: «È stata orribile».
La nostra corrispondenza non toglieva nulla
al piacere di chiacchierare a voce. Mi mancano
le sue lettere. Ci davamo appuntamento al bar
una volta a settimana, di mattina presto. Mi

sedevo accanto a lui e ci mettevamo a osservare le persone commentandone l'abbigliamento,
il fisico, le bizzarrie. Le famiglie allargate,
purtroppo rare così di buon'ora nei caffè di
Lille, ci mettevano di buon umore. Ci diverti-
vamo a indovinare i gradi di parentela che li
univano. Se poi avevamo l'occasione di assistere
a un litigio di coppia, non stavamo nella pelle.
Per seguire il filo della discussione, la nostra
tecnica infallibile prevedeva che continuassimo
a conversare per i fatti nostri senza guardare i
due contendenti. Nel salutarci facevamo rapidi
accenni alle nostre missive: «Ti ho scritto»,
«Nei prossimi giorni riceverai la mia lettera»,
«In realtà ti ho già risposto». Fin dai primi
scambi avevamo tenuto i due aspetti separati, da
un lato le cose dette, dall'altro quelle scritte. Le prime non dovevano entrare nelle seconde
per non comprometterle. Pia, mia figlia, diceva
che io e mio padre eravamo «strani forte», e che
parlarsi su Skype o al telefono era più semplice. Più volte ho provato a decantarle i vantaggi
di questo legame privato. Senza alcun successo.
   Le nostre lettere potevano essere di qualche
riga o di molte pagine. Ci scrivevamo a ritmo
più o meno sostenuto. Diventavo pigra quando lui
era carico, oppure capitava il contrario. Parlavamo della mia infanzia, della sua, di Lille
e della regione dell'Alta Francia a cui eravamo
legati allo stesso modo, dell'ammirazione che
provava per suo nonno minatore, della bellezza
di mia madre (argomento ricorrente), del loro

primo incontro (altro argomento ricorrente), della mancanza che lo consumava dalla sua morte, quando io avevo tre anni, che non passava e contro la quale, mi aveva confessato, aveva «smesso di lottare». E poi ancora di altri argomenti, i suoi libri, le sue letture, le sue fidanzate, mia figlia, la vecchiaia, i suoi amici, i miei, la maternità, la paternità... Adesso potresti pensare che le conversazioni mattutine stentassero a ingranare e fossero scarne, ma non era così. Eravamo solo più leggeri e spiritosi.

I primi anni, tutte le sue lettere finivano con un post-scriptum in cui mi dava dei suggerimenti: «Molto divertente il racconto della tua conversazione con la maestra di Pia, ma ti perdi nei dettagli. È un peccato»; «Perché usi così spesso la parola "sempre"? L'ho contata tre volte»; «Basta con questi punti esclamativi!»; «Rileggi la tua lettera precedente a voce alta, ti accorgerai che c'è un problema di punteggiatura, non si capisce quando si è autorizzati a respirare». Con il tempo, i P.S. sono diminuiti fino a scomparire del tutto. E non perché il mio stile sia diventato inappuntabile, purtroppo. Suppongo si sia stancato di correggermi. O abbia pensato che io fossi diventata troppo grande. Quei commenti così utili li ho rimpianti a lungo. Ed è proprio in ricordo delle nostre lettere che, a due anni dalla sua morte, ho deciso di aprire un laboratorio di scrittura epistolare. Mi mancavano lui e le sue parole. Per un anno, dopo la sua scomparsa, ho continuato stupidamente ad aprire la cassetta della posta nella speranza di trovare qualcosa di suo. Ero arrabbiata con lui per non aver fatto come Romain Gary in *La promessa dell'alba*, che dice di aver ricevuto al fronte della Seconda guerra mondiale, quasi duecentocinquanta missive da parte di sua madre. Di ritorno a casa, nel 1944, aveva scoperto che era morta tre anni e mezzo prima, qualche mese dopo la sua partenza. Poco importa se si tratta di realtà o fantasia, gioco di specchi, false piste, sdoppiamento… la storia è bella e romantica. Io e mio padre la ricordavamo con piacere. Dato che voleva morire, avrebbe potuto a suo modo imitarlo. Doveva farlo per me, sapeva in quale abisso mi avrebbe fatta sprofondare il suo suicidio. Perché non mi ha regalato quest'ultimo piacere, quello di proseguire la nostra corrispondenza dall'aldilà, fosse anche con una lettera soltanto? Ero stupita che non avesse tramato uno scherzetto morboso di questa risma. I suoi libri ne sono zeppi.

«Possiamo fare molto per quelli che amiamo, ma non tutto.» Hai ragione. Grazie. Grazie a te, mi sento un po' meno in colpa. Dopo la sua morte ho reagito come lui alla scomparsa di sua moglie. Ho rovistato nelle sue carte, spulciato i referti medici, chiamato i suoi amici… Doveva avere per forza un motivo. Era malato e non mi aveva detto niente. Era depresso e non me ne ero accorta. Le mie ricerche sono state inutili. Aveva l'anemia, soffriva di reumatismi e si sarebbe dovuto operare a un ginocchio l'anno dopo.

Niente di serio. Tranne questo: per la prima volta, non ho trovato nessun manoscritto sulla sua scrivania. Eppure ho rovistato nei cassetti, nel suo computer. Niente. Nemmeno la minima traccia di un libro in corso. Iniziava sempre un nuovo libro qualche settimana dopo la consegna del precedente. Aveva finito l'ultimo, *Il neigera cette nuit*, già da un anno. La sua morte deve avere un legame con la scrittura. Forse non ho valutato fino a che punto scrivere tutti i giorni fosse vitale per lui.

La morte tornava spesso nelle sue lettere. Non gli faceva paura. Invece, lo terrorizzava la vecchiaia «avvilente, degradante», così scriveva. La decadenza fisica lo affascinava e lo disgustava, aveva bisogno di descriverla in tutto il suo orrore, «la bava che cola sul mento, le mani che tremano, le gambe che non rispondono più, il tovagliolo attorno al collo, il pannolone, le mutande e le scarpe da indossare con l'aiuto di qualcuno». E mi sto limitando a un assaggio, perché poteva essere ancora più pessimista. Mi spiegava per filo e per segno gli effetti della demenza senile, che rende come «fantasmi che vagano senza più ricordare, spogliati del loro passato, dei loro ricordi e che un giorno chiedono ai figli "chi siete?"». Si innervosiva quando sul giornale o in tv scopriva un reportage sul fenomeno dell'infantilizzazione dei pazienti nelle residenze per anziani non autosufficienti, scioccato dalla facilità con cui venivano privati della loro dignità.

Ogni volta che scopriva che un conoscente o un amico aveva l'Alzheimer, ci teneva a informarmi, elencandomi tutti i dettagli in suo possesso per assicurarsi che la pensassi come lui: la vita è una gran bella fregatura. Va da sé che mi ha trasmesso la sua paura di invecchiare.

Avrò avuto venticinque anni la prima volta che ha evocato il suicidio in una lettera. «Ho intenzione di scegliere il giorno della mia morte. La cosa che mi spaventa è fallire.» Ero riuscita a strappargli questa promessa: se gli fosse venuta voglia di passare all'azione, doveva parlarmene. Una promessa da marinaio. Sapevo che non l'avrebbe fatto, ma ero più tranquilla.

Non c'era niente di morboso nelle sue frasi, anzi, gli piaceva molto scherzarci su. Era certo che avrebbe capito esattamente quando passare all'azione. «Esther, non dovrai avercela con me. Conosco i tuoi attacchi d'ira. Sarebbero inutili da morto, e vorrei che me li risparmiassi.» Lo diceva di tanto in tanto, ma non lo prendevo troppo sul serio.

Quella mattina l'ho aspettato per un'ora al bar. Il suo telefono squillava a vuoto. Sono tornata a casa a prendere le chiavi del suo appartamento. Temevo che fosse caduto, che avesse avuto un malore. Nemmeno per un secondo ho preso in considerazione il suicidio. L'ho trovato steso sul letto, o meglio raggomitolato, con addosso il pigiama che gli avevo regalato per il suo ultimo compleanno. Aveva lasciato un biglietto sul comodino: «Come promesso… è il momento».

Aveva settantaquattro anni.

Cosa vorresti sapere sulla mia libreria? Si trova in rue de l'Hôpital Militaire, in centro. Vendo soprattutto romanzi, ma ho un grande reparto di libri di viaggio. Le classiche guide, molti reportage, autori del passato e contemporanei, mappe, atlanti, libri fotografici. In pausa pranzo vado spesso in square Dutilleul, proprio qui accanto, con un libro. Mi piace quel parco bislungo con gli alberi, le aiuole e i prati ben tenuti. Lavoro molto, ma ho la fortuna di avere le spalle coperte. Non ho scelto questo mestiere per diventare ricca. Senza il sostegno finanziario di mio padre, non avrei vissuto così bene. Ho scoperto solo dopo la sua morte di non essere la sola a beneficiare della sua generosità. Mio padre partecipava di fatto anche alle spese di ricovero di uno dei suoi migliori amici in una residenza assistenziale a Lens e aiutava una vecchia fidanzata ad arrivare a fine mese. Mi ha lasciato dei soldi e un giorno farò quel viaggio in Giappone che ho sempre sognato, e continuerò ad aiutare i suoi amici finché potrò. Dovrei vendere il suo appartamento in rue Ratisbonne, ma non me la sento ancora. È la casa dove siamo andati ad abitare dopo la morte di mia madre, ci ho vissuto fino a vent'anni.

Mio padre non si è rifatto una vita. Ha avuto molte avventure, più o meno lunghe, più o meno serie. Alcune erano donne affascinanti, altre vere stronze. Più vere stronze che donne affascinanti, a dire il vero.

Non so cosa pensare del tuo rapporto con il denaro, è talmente lontano da me. Sono indecisa tra due estremi: provare gelosia o pietà. Ma perché ne parli al passato?

Un abbraccio,

Esther

P.S. Mentre ti scrivevo, ho ricevuto sul cellulare un'ultim'ora da «Le Monde»: «La scrittura a mano sparirà, spazzata via da quella digitale?». Non è una buona idea, questo laboratorio?

Pioveva dalla mattina senza sosta. La libreria era deserta e mi annoiavo un po'. Me ne sarei volentieri andata a passeggiare. Erano più o meno le sei di pomeriggio, dovevo resistere un'altra ora prima di raggiungere Sophie al Mama Shelter, che aveva appena aperto in città. Avrei messo fine al mio umore uggioso con un bel Martini bianco, e con la mia amica, preside di un liceo privato qui in città, avremmo iniziato a parlare del suo dilemma prediletto: vantaggi e svantaggi di vivere a Parigi, a Lille e in campagna. Lei mi avrebbe chiesto: «Cosa mi consigli di fare?». E io: «Lascia Lille, visto che continui a farmi la stessa domanda». Alla fine avrebbe deciso per restare. Ha i piedi incollati ai blocchi di partenza.

Il numero apparso sullo schermo del cellulare era nascosto. Sovrappensiero, ho risposto. «Buongiorno, sono la dottoressa Montgermon, non la disturbo, spero.» Non era una domanda, non avevo scelta se non quella di ascoltare. Una volta terminato il mio laboratorio, mi informava la

psichiatra come preambolo, avremmo trovato il modo di
incontrarci. Voleva che le raccontassi come mi era venuta
l'idea e se il risultato rispondeva alle mie aspettative. E poi,
perché non prevedere altre collaborazioni? In confidenza,
i suoi metodi molto originali ed eclettici non erano sempre
condivisi dai colleghi, ma nel suo mestiere, ne era convinta,
le esperienze nuove è la curiosità erano strumenti indispen-
sabili. C'erano molti modi di aiutare le persone, bisognava
solo trovare quello giusto per ciascuno, e di questo avremmo avuto modo di parlare in seguito. Di fatto mi chiamava
per ringraziarmi. Certo, bisognava rimanere prudenti, ma
una delle lettere di Juliette a Jeanne rappresentava un passo significativo verso la guarigione. Ho avuto giusto il tempo di infilarci che non era merito mio. In questa lettera, ha
proseguito la dottoressa, la paziente raccontava il suo caso
personale prendendo una sorta di distacco, descrivendo a
grandi linee la malattia e i suoi sintomi più evidenti. Soprattutto, ed era questo l'aspetto più importante, Juliette Esthover posava uno sguardo benevolo sulle donne che soffrono
di depressione postnatale. E dunque anche su sé stessa. La
dottoressa Montgermon tendeva a irritarmi, ma dovevo ri-
conoscere che la sua telefonata mi aveva fatto piacere.

Jeanne a Samuel

Verjus-sur-Saône,
6 marzo 2019

Caro Samuel,
mi dispiace per tuo fratello. Devi aver passato degli anni molto difficili. Non essere troppo

duro con tua madre. Mi pare di capire che non credi alle sue lacrime per il semplice fatto che piange ogni sera. Non la conosco, ma ne dubito. È infermiera dentro un carcere, è chiamata a rassicurare gli altri. Cura i detenuti, li ascolta, li conforta. Una volta sola, a casa, è comprensibile che dia libero sfogo alla sua pena. Tu devi fare i conti con il tuo di dolore, ma anche con quello dei tuoi genitori. È difficile vederli soffrire, sentirsi impotenti di fronte alla loro disgrazia. È un carico pesante per chiunque lo affronti da solo.

Mio marito è morto d'infarto mentre eravamo in vacanza in Tanzania. Aveva cinquantanove anni. È stato la mia fortuna più grande, l'uomo dei miei sogni. Se me ne fossi andata io per prima, immagino cosa avrebbe fatto. Dopo aver macinato chilometri in bicicletta, si sarebbe fermato da qualche parte in montagna e avrebbe urlato fino a consumarsi le corde vocali. Io ho retto il colpo durante il rimpatrio della salma, la sepoltura e fino alla partenza per Parigi di mia figlia Aurélie due giorni dopo, dato che doveva dare degli esami all'università. Poi me ne sono andata a letto e ho dormito giorno e notte, fino a perdere la cognizione del tempo. Mangiavo appena, non mi lavavo più, tenevo il telefono spento. Avrei voluto morire d'amore, ma non è così facile. A un certo punto il tuo corpo non risponde più, il sonno ti sfugge. Cosa fare, allora, se non riprendere a vivere pur senza la persona amata?

Mi scrivi che non riuscite, tu e i tuoi, a parlare di Julien. Ci ho riflettuto. Anche a me è successo di non riuscire a comunicare con i miei cari. È una situazione assurda da cui non si sa come tirarsi fuori. Come si riesce a infrangere la parete di vetro che ci separa dagli altri, senza risultare goffi, senza essere respinti, senza che le parole facciano ancora più male? Allora preferiamo fare come se non avessimo notato niente e tutto sia normale. Come se non avessimo visto, capito, sentito. Tuttavia, quel silenzio va assolutamente infranto. Ci risucchia. È veleno.

Mia figlia Aurélie è medico e vive in Cina con suo marito. Non la vedo spesso.

I miei animali? Ci sono mucche, maiali, un cavallo e un asino. Hanno tutti una cosa in comune: hanno sofferto prima che li raccogliessi. Io gli regalo dolcezza e felicità per gli anni che gli restano da vivere.

Non ti conosco abbastanza per sapere se effettivamente non sei portato per lo studio. Invece, sulla lettura, ti sbagli. Leggere è una porta aperta sul mondo, la natura umana, i secoli passati e quelli a venire. È impossibile che non ci sia nessun argomento che ti interessi, nessun genere letterario che ti piaccia. La lettura ci apre le porte. Preferisco pensare che tu non abbia le chiavi. Ti capita di entrare in una libreria o in una biblioteca? La gente che ci lavora è lì per consigliarti, non per giudicarti. Esther potrà parlartene meglio di me.

Su, vai! Testa alta, petto in fuori, prendi un bel respiro, e di' a te stesso che sei un bravo ragazzo e non hai nulla da perdere ma tutto da guadagnare a mostrarti curioso.

Fammi sapere.

Jeanne

Samuel a Jeanne

13 marzo

Ciao Jeanne,

prima, quando Julien era ancora vivo, avevo l'impressione di essere di troppo in questa famiglia. Adesso è peggio. I miei genitori, non lo so quello che pensano quando mi guardano e mi parlano. O forse sono io che mi faccio strani film e tutto è normale. Non so cosa dovrei fare. Chi sono io senza mio fratello? Il figlio unico? Il figlio fortunato? Il figlio che deve colmare il vuoto? Il figlio che deve continuare a essere invisibile? Loro sono ok con me, non è quello il problema. A mia mamma piace tanto abbracciarmi, a mio padre stringermi, alla svelta. Si sforzano di parlarmi come se niente fosse, ma non si può certo dire che così mi aiutino. È una prigione, questa casa, e nessuno può farci niente.

Le ultime settimane di Julien in ospedale ero arrabbiato. Perché la sua assenza che si prolungava non era un buon segno. Il cancro di mio fratello si era preso tutto lo spazio. E io pensavo sempre e solo a una cosa, prendermi la sua stanza, più grande della mia, dato che lui non ci stava. Non ne potevo più della sua malattia che ci rallentava tutti come una zavorra e ci impediva di andare avanti, di volerci bene e di mandarci a fanculo come in una famiglia normale. Alcune volte volevo morisse. Che finisse tutto. Non mi impedivano di essere triste, ma quei pensieri li ho avuti, non voglio nascondere la verità. Da quando è morto mi dico che se l'avessi sostenuto di più, se avessi creduto nella sua guarigione, se non gli avessi augurato di morire, sarebbe ancora vivo. Magari non guarito, ma vivo sì. Adesso che non c'è più, mi vergogno di aver voluto prendermi la sua stanza. Non capisco come mi è venuto in mente. Alla fine l'abbiamo svuotata in parte. Penso che i miei l'abbiano fatto per me, altrimenti non l'avrebbero nemmeno toccata. La camera di Julien sarebbe rimasta com'era e così avremmo potuto pensare che si era solo assentato. Mi hanno chiesto se volevo che la svuotassimo completamente. Ho chiesto che le mensole dei libri rimanessero com'erano. E anche la scrivania. Ho notato che mia madre era sollevata. Il resto lo abbiamo tolto, messo negli scatoloni che tutti e tre abbiamo portato in cantina. Mia madre non ha voluto buttare niente e mio padre ha portato in casa tutte le bottiglie di vino per fare spazio. Ho capito che non volevano più scenderci, in quella cantina. So bene quanto ci è costato svuotare tutto. Per me è stato peggio della sepoltura. Erano ricordi che mettevo negli scatoloni e che impacchettavo con lo scotch, una vita che facevo sparire in qualche ora. Non è niente di niente la vita di una persona.

Julien era bravo in letteratura, gli piaceva leggere. I libri erano l'unica cosa che teneva in ordine nella sua stanza, e questo faceva ridere mamma. Non ho voluto toccare le mensole e la scrivania per questo. Allora, piuttosto che andare in una libreria a comprarne uno, ho deciso di leggere i suoi, uno per uno, iniziando dalla mensola in alto, da sinistra a destra. Voglio fare così, non so perché. Voglio posare gli occhi dove lui ha posato i suoi, sulle stesse parole. Voglio scoprire le stesse storie, conoscere gli stessi personaggi. Dopo li rimetterò al loro posto esatto. Ci sta che magari non capisco niente. Delle volte mi diceva: «Dovresti leggere, saresti meno coglione». Il primo libro è *L'amico ritrovato* di Fred Uhlman. Ho avuto fortuna, non è grosso. Proverò a iniziarlo domani. Tu lo hai letto?

Ti va di raccontarmi di più dei tuoi animali? Parli poco di tua figlia.

Sai, è strano, ma adesso non sopporto più il rumore dello scotch.

A presto,
Samuel

Parigi-Tunisi,
11 marzo 2019

Ciao Nicolas,
niente di meno che «Il poeta dei fornelli»,
«L'intellettuale due stelle», è così che ti
chiamano? Gli articoli che ti hanno dedicato
insistono sul tuo amore per le parole, fonte
d'ispirazione per alcuni piatti. Mi chiedi se
cucino. Molto poco. Ma ho i miei cavalli di battaglia, le uova all'occhio di bue, la pasta al
sugo, le zuppe surgelate…

Quello che ti sta succedendo non è facile da
affrontare, ma qualcosa mi dice che sei un tipo
tenace. L'immagine negativa che hai di tua moglie alla fine svanirà, suppongo. Da parte mia
non arriverà altro, né consigli né incoraggia-
menti, dato che come ti ho già scritto sono un
disastro…

Che dirti, non mi piace dare l'idea di essere disilluso e depresso, ma non sei il primo a
farmelo notare. Mi sa che dovrò rassegnarmi. Hai
ragione a sottolineare che è impossibile riuscire, nella mia come nella tua carriera, senza una
buona dose di energia tutti i giorni. Negli ultimi tempi, ho dovuto scavare un po' più a fondo
del solito per trovarla, ma ancora ci riesco.
Per quanto tempo? Guadagnare è stato a lungo il
mio motore. Ora però non funziona più. Adoravo
le sfide. Più la situazione era complessa, più

grane mi dava, meglio stavo. Perché non delego di più? Al momento mi viene difficile. La mia prima mission consiste nel rivedere i contratti che ci legano ai servizi clienti con sede all'estero. È un lavoro schifoso. In pratica, licenzio dei poveri cristi già malpagati, con la scusa che non hanno raggiunto gli obiettivi, per assumerne altri che pagherò ancora meno. Così mi guadagno nuove fette di mercato internazionale.

Mi fido di te, Nicolas, e ti chiedo in qualsiasi caso di non divulgare le mie confidenze. Non ti conosco, ma mi fido. Converrai che è da veri incoscienti.

In effetti, il mio appartamento dà sulle Tuileries. È per questo motivo che l'ho comprato. Quinto piano. È rumoroso, sì, ma non mi dà fastidio. Viaggio, mi sposto di città in città, senza accorgermi dei giorni che passano. Devo avere paura del vuoto, di ritrovarmi solo con me stesso. Cosa si fa con la solitudine quando non c'è nessuno ad aspettarti? Non mi sto lamentando, ho delle fidanzate passeggere, con i vantaggi che ne derivano. Mi godo i bei momenti senza le costrizioni di una vita di coppia stabile, senza pormi troppe domande. Sono libero. Se avessi trovato la donna della mia vita, non starei qui a farti questi discorsi. Mi piacerebbe amare ed essere amato. Provare di nuovo quella gioia ininterrotta, quella deliziosa eccitazione del cuore all'erta, che ti ancora al presente, ti fa vedere il futuro sotto una luce radiosa. Com'è bello, tutto questo, ma com'è

lontano. Sorpresa! Il businessman è un romanti-
cone. L'avresti mai detto?

Ho dimenticato di parlarti dei miei figli. Lo
farò senz'altro nella prossima lettera.

Jean

P.S. Ti confesso che non sopporto che tu ti
rivolga anche a Esther nelle lettere indirizzate
a me.

Nicolas a Jean

Parigi,
18 marzo 2019

Ciao Jean,

a volte sogno di chiudere il ristorante, prendere mia figlia e aprirmi un bistrot in provincia, lontano dal casino. Tanti saluti alla
pressione, all'affitto esorbitante, agli stron-
zi dentro ai macinini nel traffico, alle stelle
Michelin, ai black bloc che devastano la città,
agli sbirri che perdono la testa tentando di
fermarli, ai senzatetto che tra l'altro non vedo
più. Mi immagino in una grande casa di campagna,
con Adèle, gli animali, un camino acceso e la
vita d'un tratto più serena. Ieri sono andato
a bere una cosa con un amico vicino a Champ-de-
Mars, in un posto dove ti fanno pagare la rondel-
la di limone nella Perrier. Cinquanta centesimi.
Sono andato dal proprietario per chiedergli se

faceva sul serio. Si è urtato: «Mi scusi, ma secondo lei i limoni me li regalano? Perché dovrei darli via gratis?». «Perché sei uno stronzo che fa già pagare cinque euro e cinquanta una Perrier» gli ho risposto. Che dire, il mio amico non aveva torto quando mi ha rimproverato per essermi preso quella confidenza e avergli dato dello stronzo. Il tipo non ci ha visto più, mi ha detto che non era abituato a essere trattato così, e che se non mi andava bene potevo andarmene da un'altra parte. Non aveva intenzione di arrivare alle mani. Peccato, perché stavo di merda e non mi sarei tirato indietro di fronte a una scazzottata. Ti pare normale far pagare un pezzo di limone in un bicchiere d'acqua?

Per allentare la tensione dovrei riprendere con la boxe, lo so, però ho delle attenuanti. Lavoro come un mulo e quando arrivo a casa trovo mia madre ad aspettarmi. È un tesoro e per niente esigente, ma deve tornare a casa sua o finirò per diventare intrattabile anche con lei. Eppure non so come farei se non ci fosse. Devo organizzarmi e informarmi per l'asilo nido. Sono stufo di occuparmi di tutto mentre Juliette si fa le pippe mentali, è questo il problema. Basta però, non voglio essere ingiusto.

Il prossimo weekend vado con Adèle da alcuni amici vicino a Fontainebleau, ci farà bene.

Cosa si fa nel proprio tempo libero? Mi sembra che tu ti chieda questo. Sul serio, Jean? La risposta è evidente: niente. Ci si annoia e si passa la vita ad avere rimpianti. Proprio come fai tu, che pensi che non valga la pena cambiare, perché senza amore la vita non ha senso. È così, no? Meglio continuare a romperti le palle tra un aeroporto e l'altro e a licenziare persone che non hanno raggiunto i loro obiettivi del cazzo. Bel programma.

Sono sicuro che potresti negoziare la tua uscita, e anche con un bel mucchio di soldi in mano. Non saresti nella stessa situazione di quelli che licenzi e a cui concedi, immagino, qualche misera buonuscita. Perché non mi aiuti ad aprire un ristorante e un orto solidale con disabili mentali? Se sono da solo, procrastino.

Hai ragione, non mi aspettavo fossi un sentimentale. Mi viene da ridere se ripenso alle foto che ho visto di te, sguardo da pitbull, zero sorrisi, e quella didascalia: «Dobbiamo abbassare i costi di produzione». Che poeta...

Ci si becca,

Nicolas

P.S. Mi rivolgo a Esther quando voglio.

SENSI DI COLPA

<u>Jeanne a Juliette</u>

Verjus-sur-Saône,
12 marzo 2019

Cara Juliette,
lo scorso fine settimana ho ricevuto la visita inaspettata di un'ex allieva, Julie, concertista a Berlino. Aveva dieci anni quando ha iniziato a prendere lezioni e ventidue quando si è unita all'Orchestra di Parigi. Frequentava il conservatorio di Lione e veniva da me il fine settimana. Era dotata e diligente, ma durante gli esami perdeva le sue doti. Qualche ora prima della convocazione, le venivano eczemi, nausea e tremori. Una cosa mai vista. Aveva provato di tutto: psicologo, yoga, oli essenziali, tecniche di rilassamento, calmanti… Le ho offerto il mio aiuto. Avevo una certa esperienza, insegnavo da molti anni. Le avrei tenuto compagnia nelle ore che precedevano l'audizione fino all'ultimo

minuto. Insieme, avremmo fatto qualsiasi cosa volesse, tranne che provare. Ha deciso di camminare. Ci davamo appuntamento sulla riva del Saône e camminavamo a grandi falcate su e giù per il lungofiume almeno un paio di ore di fila. Se l'audizione era al mattino presto, ci è anche capitato di vederci all'alba. Durante quelle passeggiate parlavamo di direttori d'orchestra, musicisti e compositori, della vita di Chopin, Rachmaninov, Beethoven, Rimskij-Korsakov, delle epoche che li avevano visti nascere, delle loro famiglie, degli amori, dei primi successi, delle ispirazioni, dei loro periodi bui o di riflessione… Mai del suo esame, mai. Mi limitavo a lanciare lì delle frasi di incoraggiamento, «A casa di Pleyel, quel giorno, Chopin ha suonato l'*Andante spianato* che hai eseguito così bene la settimana scorsa», «Ed è in quel momento che Beethoven ha scritto le sue *Fughe*, molto probabilmente per essere all'altezza delle *Variazioni Goldberg* di Bach. Ti ricordi quanta fatica hai fatto con la numero trentadue? Ma poi ne è valsa la pena, no? Prometti di suonarmela la prossima settimana, che tu la esegui meglio di me». Poi entravamo insieme al conservatorio. Ha funzionato. Le nostre conversazioni la divertivano, lo sforzo fisico le permetteva di buttare fuori lo stress, di sgomberare il cervello. Nella tua ultima lettera mi hai detto che hai imparato dalla tua squadra. Io, dai miei allievi.

Un abbraccio,
Jeanne

Malakoff,
13 marzo 2019

Cara Jeanne,

quando mia figlia è venuta al mondo, il mio ginecologo, stupito, mi ha chiesto perché non la abbracciavo. Al che l'ho fatto. Oggi, ne conosco la ragione: non ho preso Adèle tra le braccia perché non mi è venuto in mente. Mi sono spesso domandata a cosa pensassi in quel momento. Ebbene, a niente. Il mio cervello aveva fatto piazza pulita. Vuoto assoluto, era scollegato dalla realtà, dalla minima emozione. La siderazione — così mi hanno spiegato — mi teneva lontana dal constatare che avevo una figlia, che ero madre.

Quando ero incinta mi trovavo brutta. Troppo grossa, il viso gonfio, arrossato, le membra appesantite, mi trascinavo in giro e mi veniva l'ansia per tutto e niente. Quei nove mesi sembravano voler durare in eterno, avevo fretta di partorire. Adèle è nata alle sei del mattino e fin dalla sua prima notte ho preferito affidarla alle levatrici. Volevo dormire. Avevo deciso di non allattarla. Con lei, di giorno, mi sentivo impacciata, non sapevo come comportarmi e andavo in panico quando i suoi pianti si prolungavano. Non vedevo l'ora che se la venissero a prendere per la notte così potevo dormire, ma il mattino arrivava sempre troppo presto. «Di già?» pensavo. Guardavo mia figlia e la trovavo bellissima, con la pelle diafana, gli occhi blu scuro, i capelli neri tutti scombinati, ma era come se quella bellezza non mi riguardasse. Era già un peso. Volevo solo una cosa: posarla dentro la culla ed essere lasciata in pace. Speravo che le cose sarebbero andate meglio una volta tornate a casa. Andò solo peggio. Avanzavo verso il precipizio ogni giorno di più. Ero la sola a rendermene conto.

Ero incapace di interpretare i pianti di mia figlia. Provavo a calmarla, ma era inutile. Non avevo empatia. Non leggevo nulla nel suo sguardo, non provavo nessuna emozione nel tenerla in braccio. E intanto tra noi due si apriva una voragine. I primi giorni a casa, quando faceva il riposino, aspettavo con impazienza il suo risveglio, mi bastava non averla accanto per qualche istante e ricominciavo a sperare. Immaginavo di provare un'immensa felicità al suo risveglio, che tutto sarebbe stato più facile, luminoso. Allora quei primi giorni sprecati sarebbero finiti nel dimenticatoio. Invece no, purtroppo. Nell'attimo stesso in cui tornavo a guardarla, a prenderla in braccio quando si svegliava, venivo travolta da un'ansia ancora più forte. Mi imponevo di farle delle carezze, parlarle, ma era fatica sprecata, sentivo solo il vuoto dentro di me. Compivo il mio dovere. Le davo il biberon, le facevo il bagnetto, la cambiavo… Gesti puramente meccanici. Mi ero fatta una lista con gli orari per paura di dimenticarmi alcuni compiti. Avevo paura di sbagliare. In realtà, ero terrorizzata dall'idea di dimenticarmi proprio lei, tanto impellente era l'impulso di fare come se non esistesse. Adèle era un'estranea.

Lei piangeva in continuazione e io ero stanca, ansiosa, con i nervi a fior di pelle. Niente di quello che diceva o faceva Nicolas mi andava bene. Me la prendevo con lui perché mi lasciava da sola con lei, ero gelosa del tempo che le dedicava quando tornava dal lavoro. Era pazzo di gioia, preoccupato per me, ma felice con lei. Volevo che io e Nicolas ci amassimo come prima, che nostra figlia la smettesse di intromettersi tra noi due. Che non si fosse mai intromessa.

Facevo sempre più fatica a trascinarmi fuori dal letto, uscire di casa. Adèle aveva due mesi quando Nicolas mi ha chiesto perché non mi facevo vedere da un medico. Ho accettato, senza dire niente, ma l'ho vissuta male. Era la conferma che qualcosa non andava in me e che, forse, stavo diventando pazza. La vergogna mi stava lentamente uccidendo.

Il medico curante mi ha prescritto delle vitamine e un leggero sonnifero. Ha voluto rassicurarmi. Avevo fatto bene a farmi vedere da lui, il baby blues non va preso alla leggera, ma presto sarebbe stato solo un ricordo. Sono uscita dal suo studio delusa. Non me la sentivo di tornare a casa, volevo farmi ricoverare direttamente in un ospedale o in una clinica, era lo stesso. Lì mi avrebbero curata, imbottita di sonniferi e via, avrei potuto dimenticare tutto quanto. È andata solo peggio. Ero sempre più in preda al panico, sempre meno capace di occuparmi di Adèle. Me ne stavo chiusa in camera da letto con la testa sotto il cuscino per non sentirla piangere. Dovevo farmi violenza per alzarmi e darle da mangiare. Avevo timore di farle del male. Mi ripetevo che ero un mostro. Precipitavo in quella che i medici chiamano decompensazione. I miei fantasmi si sono liberati. Mi vedevo lanciare Adèle fuori dalla finestra in un momento di esasperazione. Soffocarla piano piano con un cuscino e dopo non osare sollevarlo per scoprire la sua faccia. Tagliarmi le vene nella vasca. Perdere a poco a poco conoscenza mentre l'acqua diventava rosso scuro, e mi veniva freddo.

Alla fine mi hanno ricoverata in una struttura psichiatrica. Era quello che volevo. Essere presa in carico, lontana da quella bambina che mi aveva fagocitata, che vedevo come una minaccia, ma che allo stesso tempo desideravo proteggere dalla mia follia. Volevo mi stordissero di farmaci. Adèle aveva cinque mesi. Sono rimasta al Sainte-Anne sei settimane. Non volevo vederla. Né lei né nessun altro. Niente visite. Ero sconfitta. Tornare con la mente a quel periodo è uno sforzo.

In seguito sono stata trasferita in un'unità di maternologia. Mi portavano Adèle più giorni a settimana. Il primo raggio di luce nell'oscurità. Chi mi aveva in cura mi capiva. Mi aiutavano, mi incoraggiavano a parlare con mia figlia, a toccarla, a cantare per lei. E mi suggerivano di riposare. Ogni due giorni parlavo con una psichiatra. Non provavo ancora niente per mia figlia, ma non andavo più nel panico. Non c'erano tv, radio, era perfetto. Calma e silenzio, non desideravo altro. Nicolas veniva a trovarmi. La sola visita che avevo autorizzato. Ho iniziato a tornare a casa, prima in modo graduale e poi in via definitiva. Ho retto un mese. Nicolas faceva quello che poteva. I nostri rapporti erano più distesi, ma non riuscivamo a parlarci, ad amarci. Ho dovuto arrendermi all'evidenza, mi evitava. Non riuscivo a crederci, il suo comportamento mi devastava. È da quel momento che ho iniziato ad avercela con lui. Mi sarebbe bastato poco per riprendere fiducia in me stessa. Non ha fatto niente per aiutarmi. La nostra complicità era sparita, eravamo incapaci del minimo gesto di tenerezza. Non mi piaceva come mi guardava. Ho avuto paura di avere una ricaduta. Le crisi di panico sono tornate. Ne ho parlato al mio medico e ho deciso di andare via di casa. Non ero ancora pronta.

Non potrò cambiare quello che è stato. Non potrò mai ripararlo.

Saluti,
Juliette

Jean a Esther

Parigi,
16 marzo 2019

Cara Esther,
adesso che mi hai parlato delle lettere che ti scambiavi con tuo padre, capisco perché hai

messo su questo laboratorio. Non te l'ho ancora detto: sono contento di partecipare. Scrivere a te, come a Nicolas, mi obbliga a «uscire dalla mia comfort zone» (un'espressione molto in voga). Non è una sensazione piacevole. I ricordi riaffiorano, non ho la coscienza a posto, le tue domande mi scombussolano, a volte, mi fanno vedere le cose sotto un'altra luce. Capita anche agli altri, o solo a me?

Sono rimasto a Parigi buona parte della settimana e ne ho approfittato per pranzare con i miei genitori. Sono anziani, ottantacinque e ottantasei anni, ciascuno con i propri malanni e i propri acciacchi. Ma nell'insieme stanno bene. Mio padre aveva l'aria contenta di vedermi. Era più affettuoso del solito. «Affettuoso» è un parolone, ma mi ha manifestato qualcosa del genere. Dopo averli lasciati ho riflettuto a lungo su mia madre (un effetto del laboratorio, probabilmente). Provo per lei una forma di ammirazione. Si può disapprovare la sua concezione della felicità, giudicarla stupida, immorale ma, attraverso il suo matrimonio, ha esaudito il suo sogno — essere ricca —, è riuscita a preservare il suo benessere e a difendere le sue prerogative fino a oggi, occupandosi il meno possibile dei figli, godendosi il denaro senza lavorare, calandosi nei panni di una gran signora. Mia madre ha sempre letto pochissimo, non andava al cinema, ancora più di rado a teatro, non ascoltava musica. Dava spesso delle cene, però era una cuoca a occuparsi del menu. Ciò che le piaceva di più in assoluto era comprare. Abiti, gioielli, mobili, ma anche case in campagna o al mare di cui si stancava presto. Ho perso il conto di quante seconde case hanno avuto. Mio padre faceva tutto quello che voleva lei, assecondava ogni suo capriccio, e Dio solo sa quanti sono stati. Era un debole. Mi ispirava compassione, per non dire pietà. In cambio, lei non aveva mai una parola tenera nei suoi confronti. La cosa peggiore è che continua a mettergli i piedi in testa, a ottantacinque anni passati. Mia madre, bella e ottusa. Lei sì che è stata felice.

Come ti ho scritto, il mio lavoro mi ha procurato molte soddisfazioni e ha consolidato il mio potere. Ora sempre meno, ed è per questo che parlo al passato. È successo qualcosa di particolare che ha provocato questa indifferenza inaspettata? Se così fosse, non me lo ricordo. Mentirei, se ti dicessi che le disuguaglianze e la miseria del mondo mi rattristano. O che mi sento in colpa per tutte le persone che ho licenziato. O che, logorato dai rimorsi, ho deciso di cambiare vita. No, sono più come quei bambini viziati marci che non sanno più cosa chiedere per il compleanno. Il denaro non mi fa più vibrare, non mi eccita più. Con queste premesse, fare business è straordinariamente noioso. D'altronde, il business vero è acqua passata. Ora sono a capo di risorse umane, uomini e donne di cui valuto i risultati e di cui mi sbarazzo quando sono troppo cari o non abbastanza efficienti. Che abbiano più di cinquant'anni, dei figli a carico, che siano malati, che i loro compagni li abbiano lasciati non è un mio problema. Sono solo delle pedine, e io non sono chiamato a fare regali. Tocca a me annunciargli la cattiva notizia prima che la direzione li chiami, in settimana, per definire le modalità di uscita. Sono diventato un essere abietto. Ogni giorno sono un po' più stanco. Non potrò tornare indietro.

La mia vita è un continuo di persone che passano. Non ho più una moglie, i miei figli non hanno una grande opinione di me, sono cresciuti senza la mia presenza (o molto poca), gli amici hanno finito col dimenticarmi. Lavorare, so fare solo questo. Fermarmi equivarrebbe a sprofondare nel vuoto. Eppure, inizio a pensarci.

Parlami ancora di te, Esther. Quanti anni ha tua figlia Pia? Sei sposata, no? Sono così focalizzato su me stesso da non averti chiesto niente.

Dopodomani riparto per Bruxelles.

Un abbraccio,

Jean

Esther a Jean

Lille,
20 marzo 2019

Caro Jean,

innanzitutto, ti faccio i miei complimenti. Nell'ultima lettera hai usato meno avverbi. Il tuo stile ha guadagnato in leggerezza e precisione. Sono felice quando vedo che i miei consigli danno frutti.

La domanda che devi porti è questa: mi immagino a fare lo stesso mestiere per i prossimi quindici anni? Il piacere che provo a lavorare nella mia libreria e a passarci le mie giornate sarà sempre grande, tra dieci anni come tra venti. Non restarci male, ma quello che ti sta capitando è comune a molti. Sei sulla cinquantina, il tuo lavoro ti annoia e non sai come affrontare il futuro. Fare un salto nel buio o sopportare a testa bassa e andare avanti con rassegnazione? Perché abbiamo paura di trovarci di fronte a noi stessi? Rifiutiamo di affrontare il vuoto, l'inattività, le domande senza risposta. Dobbiamo avere un progetto a tutti i costi. Tuttavia, penso che questa «discesa nel vuoto», come la chiami tu, sia un passaggio obbligato inevitabile per chi non sopporta più di stare dove sta e non sa ancora dove vuole arrivare. Concedersi del tempo senza avere paura non è semplice! È proprio il tuo caso, stando a ciò che hai scritto a me e a Nicolas. Non volermene, ma non condivido i discorsi che fai nelle lettere destinate a me, o a Nicolas. Sono d'accordo con lui: non voler cambiare vita perché sei solo è un pretesto. Correre dei rischi, smuovere le acque, può svelare risorse che non sospettavamo di possedere. L'avrai capito, io sono una sostenitrice dei colpi di testa.

Basandomi sulle tue lettere dovrei per logica reputarti un tipo da non frequentare. Ma non ci riesco. Non capisco come mai, dato che rappresenti tutto ciò che di solito evito in un uomo.

Pia ha quindici anni. Mi preparo alla sua crisi adolescenziale dalla sua nascita, ma non c'è ancora niente all'orizzonte. O meglio, diciamo che il disagio per ora è contenuto. Si guarda costantemente in qualsiasi specchio incroci (cosa che mi esaspera), si interessa ai ragazzi (cosa che mi fa sogghignare), legge meno di prima (cosa che mi devasta). È un'ottima studentessa e non ne sbaglia una. Pia è intelligente, molto simpatica, chiacchierona e orgogliosa. Ha vissuto decisamente male il suicidio di suo nonno, ma adesso sta meglio. Io e il padre siamo separati, ma andiamo d'accordo, siamo diventati amici. È ingegnere del suono nel cinema, va e viene da Parigi, ma fa di tutto per tenersi libero quando Pia sta con lui, a settimane alternate. Nessuno di noi si è rifatto una vita. Gli uomini che mi piacciono sono rari e, quando capita, non tardo a trovare difetti insormontabili che determinano la fine della storia. Oscillo tra «non voglio più stare da sola» e «quanto è bello fare quello che vuoi senza un uomo in casa». Posso dire di essere felice, nel senso che conduco la vita che mi corrisponde, di essere fedele ai miei valori e a quello che mi piace. Ed è già molto.

Un abbraccio,
Esther

<u>Nicolas a Juliette</u>

Parigi,
17 marzo 2019

Amore mio,

mia madre mi ha detto che non avevi un bell'a-
spetto e che le hai parlato appena l'altro ieri.
Sono preoccupato. Cosa succede?

«Amore mio». Da tempo non ti chiamo con queste
due parole che ci hanno dato tanta gioia, a me
nel pronunciarle e a te nel sentirle. Mi chiedo
cosa provi a leggerle, a voce alta forse. Vorrei
indietro il nostro amore intatto. Che ritrovasse
vigore e calore.

Non te l'ho detto, ma quando eri ricoverata
al Sainte-Anne ho chiamato i tuoi genitori per
informarli della situazione e invitarli a venire
a trovare Adèle. Non immagini quanto mi sentivo in colpa. Non la vedevano dalla sua nascita.
Nel frattempo tu avevi chiuso i ponti con loro
e io ne avevo fatto una malattia. Me li ricordo
ancora, mentre piombano al Sainte-Nazaire con i
vestiti buoni, commossi fino alle lacrime, tua
madre con una valigia piena di regali che ac-
cumulava da mesi, e tuo padre, così fiero nel
completo nuovo, che portava un mazzo di fiori e
una bottiglia di champagne tiepida. Io piagnuco-
lavo. Piagnucolo ancora. Adoro i tuoi genitori,
Juliette, dal giorno in cui li ho conosciuti. Te
lo ricordi? È stato in quel ristorante di pesce
di cui ho dimenticato il nome, vicino a Trou-

ville, in aperta campagna. Tua madre si era rifiutata di invitarci a casa per paura che non mi piacesse la sua cucina. Anche quel giorno erano tirati a lucido. Non come noi, che arrivavamo dopo una lunga passeggiata sulla spiaggia, con i jeans e le scarpe da tennis lerce, sembravamo due spaventapasseri.

Insomma, li ho chiamati. Ho fatto un riassunto della situazione, per come ho potuto, gli ho spiegato cos'è la depressione post-partum. Mi sono scusato di essere stato così poco disponibile, quando mi telefonavano per tentare di capire cosa succedesse, pur sapendo che erano preoccupati. Credevo toccasse a te tenerli al corrente, mi sono giustificato così. Tua madre era preoccupata per te e la piccola, ma in fin dei conti devo dire che mi è sembrata poco sorpresa. «Mi aspettavo che prima o poi...» si è lasciata sfuggire, senza finire la frase. Mi ha fatto tante domande su Adèle. Ho anche scoperto per caso che mia madre gli invia delle foto. Non mi aveva detto niente. A volte mi chiedo se non abbia paura delle mie reazioni. Per loro è il tuo ritratto sputato. «Anche gli occhi?», «Oh, sì, ha lo sguardo di sua madre». Siamo rimasti che mi avrebbero richiamato nel giro di poco per dirmi se venivano (o no) a Parigi. Credevo che si sarebbero precipitati, invece tuo padre si è fatto sentire il giorno dopo. Ci avevano riflettuto e avevano deciso che avrebbero aspettato il tuo ritorno, e che preferivano aspettare che fossi tu a invitarli: «È il nostro modo di dire a Juliette che la amiamo e rispettiamo i suoi tempi». Da quel giorno ci sentiamo regolarmente.

Tua figlia è una mangiona. A parte le pere, che rifiuta categoricamente, le piace tutto. È capitata bene, tra me e mia madre! Ho deciso che finché non torni, non mangerà dolci. A noi il salato, a te il dolce. Fosse per lei, se ne starebbe tutto il tempo in piedi passando da un mobile all'altro senza mai stancarsi (io, invece, sì!). Non riesco quasi mai a farle il bagnetto in settimana, ma nel weekend... lo adoro. I suoi rotolini mi mettono allegria, la pelle, così infinitamente burrosa, e i capelli, tutti bagnati e appiccicati, le danno un'aria birichina che mi fa impazzire. Dorme poco, ha il sonno agitato. Si sveglia spesso, tranne... tranne dopo i pomeriggi che passate insieme in maternologia. Prima di rispondermi che questo non vuol dire niente, fammi andare avanti: lei sta con te, vi parlate, vi guardate, vi toccate, i medici sono speranzosi, incoraggianti, risultato, nostra figlia torna a casa e la sera dorme beata.

N.

P.S. Il nido dove abbiamo fatto domanda è disponibile da giugno in poi. Io sono a favore. Le farà bene stare con altri bambini.

<u>Juliette a Nicolas</u>

Malakoff,
26 marzo 2019

Nicolas,
scusa se ci ho messo tanto a risponderti. Le
ultime visite dalla mia psichiatra sono state pesanti, sono rientrata nel mio guscio e ho
aspettato che passasse la tempesta.

Ho cancellato la mia nascita dalla mia storia,
ho fatto come se non avesse niente di speciale.
Ero una bambina uguale a tutte le altre. Con dei
genitori amorevoli come Anne e Maxime, vedere il
lato bello della vita, e solo il lato bello, non
era difficile. Abbandonata alla nascita? Avrei
potuto rispondere come nella canzone *Mon amant
de Saint-Jean*: «È passato, non parliamone più».
Se avessi avuto maggiore consapevolezza di ciò
che sono, delle mie forze e delle mie fragilità,
avrei agito diversamente e avrei saputo che prima di mettere al mondo un figlio dovevo regolare
i conti con la mia di nascita. Ero in un tale
stato di negazione che, sebbene incinta, non ho
collegato la mia ansia al mio passato. È dovuta
arrivare Adèle per scatenare il cataclisma. Secondo la psichiatra ho inconsciamente rifiutato
di darle questo carico ed è una cosa buona. Se
lo dice lei.

Hai fatto bene a chiamare i miei genitori.
Sono sollevata e commossa di sapere che non ce
l'hanno con me e che aspettano il mio ritorno.

Come ti ho già scritto, non devi prendertela con te stesso. Ma quello che vorrei capire, Nicolas, è il tuo comportamento quando sono tornata a casa dal ricovero. Perché eri così distante? Mi parlavi appena, dormivi sul divano, non mi hai mai nemmeno dato una carezza. Mi ha fatto un male assurdo. Perché avevo bisogno di te, che mi rassicurassi, mi sostenessi. Più di chiunque altro in quel momento. Senza il tuo amore, come potevo trovare pace? Per favore, spiegamelo, anche se la risposta mi può fare male.

Anche per me è una buona cosa se Adèle va al nido. In maternologia approccia gli altri bambini con facilità. I dottori mi spingono a partecipare al suo periodo di integrazione. Ci proverò.

La dottoressa ha diminuito il dosaggio degli antidepressivi. Faccio quello che mi dice. Piango come una bambina, butto fuori la rabbia contro una madre che si è sbarazzata di me senza lasciarmi niente. Questa sconosciuta che odio, ma per la quale devo fare un (piccolissimo) spazio dentro di me.

Mi rende felice sapere che mi aspetti per far scoprire i dolci a nostra figlia. Per la prima volta, mi sono immaginata a casa, in cucina, mentre le preparo delle tortine e dei bignè. Perché non mi è mai venuto in mente di portarle un dolcetto quando vengo a prenderla?

Alex e Joël mi hanno chiamata stamattina. Hanno in mente di acquistare un vecchio mulino con delle mole in pietra nel Brie. Vogliono

che partecipi anche io. Produrremmo le farine
da noi, svilupperemmo un'attività commerciale.
Non dovremmo nemmeno partire da zero, perché gli
attuali proprietari hanno già molti clienti. A
noi spetta solo tenerceli. È tutto bio. Credo
di preferire questo progetto all'idea di aprire
un terzo forno. Sarebbe una vera avventura. Che
ne dici?

Ripenso spesso al nostro primo incontro, e
anche a tutti gli anni in cui siamo stati felici. Ho rovinato tutto.

Con affetto, e baci,
Juliette

Juliette si sente meglio dopo quella lettera. Forse il laboratorio è una buona cosa. Forse lei e Nicolas riusciranno
a spiegarsi. Si sono detti cose terribili, ma a parlare erano
la paura, e il dolore, e la rabbia. Sono arrivati a smettere
di comunicare, dopo settimane di conflitti e malintesi. Juliette non si alzava quasi più dal letto, Nicolas dormiva sul
divano e la evitava. E lei aveva scoperto in suo marito un
talento che non conosceva: l'arte della fuga. La delusione è
stata enorme, colossale. Di lui amava soprattutto la schiet-
tezza e la spontaneità. Quel tipo di lealtà valeva oro. Ma
è andata in mille pezzi. Non ha sopportato il suo evitarla,
quella vigliaccheria da poco, quel modo meschino di schi-
vare il confronto.

Dopo che se n'era andata via, la mancanza l'uno dell'altra li aveva colti di sorpresa, più velocemente di quanto
credessero. Erano consapevoli della loro fragilità come

coppia. Li teneva uniti solo un filo. Questa consapevolezza li spingeva alla calma, a minimizzare le offese passate, a dimenticare le grida, le brutte parole, la malafede. Un gesto di troppo, una cattiveria gratuita, una dimenticanza, e uno dei due avrebbe posto fine a quell'unione. Si amavano, era evidente per entrambi, ma il loro amore non bastava più a colmare le fratture e le mancanze. Per questo motivo, se volevano ristabilire il dialogo, Juliette non poteva nascondere il suo stato d'animo a Nicolas. Odiava sua suocera che l'aveva rimpiazzata con sua figlia? Sì. Era paradossale? Sì. Si considerava un'incapace? Sì. Aveva soppesato le sue parole e se ne prendeva la responsabilità. Erano violente, cosa poteva farci? Dopo l'inerzia e la paura dei primi mesi, ora lottava contro la rabbia.

Jeanne a Samuel

Verjus-sur-Saône,
20 marzo 2019

Caro Samuel,
iniziare a leggere prendendo in prestito i libri di tuo fratello è una buona idea. Lui ti farà da guida. Forse, anche da vivo gli sarebbe piaciuto avere questo ruolo.

Capisco che ti stia chiedendo che posto occuperai all'interno della tua famiglia d'ora in avanti. La risposta non era già ovvia quando tuo fratello c'era? Beninteso, se lui non si fosse ammalato, sarebbe stato diverso. È così, e non puoi farci niente. Mi sembra tu sia convinto che i tuoi genitori ti amino di meno, o che da quando tuo fratello è morto tu per loro non esista più. Tu a loro vuoi meno bene? Suppongo di no, ma li consideri diversamente. Avevano due figli, ora ne hanno solo uno. Eravate quattro, e ora siete tre. Il nucleo familiare è stato sconvolto, ma ritroverà un equilibrio, in una forma diversa. I tuoi genitori sono sopraffatti dal dolore. Hanno smarrito parole e gesti. Non credi che abbiano paura di sbagliare, proprio come te?

Il tempo non sempre è dalla nostra parte, caro Samuel, ma nel tuo caso, sì. Abbi pazienza, e approfittane per leggere!

E poi, fammi un piacere, smettila di sentirti in colpa. Hai voluto la camera di tuo fratello? Hai desiderato che morisse perché era l'oggetto di tutte le attenzioni, una fonte di preoccupazione perenne per i tuoi genitori e per te? Ti sei detto «Ti prego, basta»? È umano. Non hai accelerato la sua morte. Se così fosse, avresti un potere inaudito di cui ti consiglio di non abusare…

Ho letto *L'amico ritrovato* anni fa. È un libro che non si dimentica, un classico. Lo hai terminato?

Jeanne

28 marzo 2019

Ciao Jeanne,

mi è piaciuto tanto *L'amico ritrovato*. Ma per chi non lo ha letto, non dobbiamo spoilerare il finale che è strabello. Il momento peggiore della storia è quando i genitori, che ammiravano e si fidavano del loro Paese, la Germania, perdono la speranza e si suicidano col gas.

Anche io sono ebreo, ma non praticante. Non parliamo di religione a casa, abbiamo giusto una Mezuzah all'ingresso.

Ho finito *Nagasaki* di Éric Faye, il secondo libro sulla mensola. Non c'entra niente con *L'amico ritrovato*, ma mi è piaciuto lo stesso. Non so se questo lo hai letto, perciò ti racconto solo l'inizio. È una storia strampalata, tratta — così pare — da una storia vera. C'è un meteorologo depresso, in Giappone, che installa una videocamera nel suo appartamento perché qualcuno ci si introduce per mangiarsi uno yogurt, bere un tè… La cosa che mi è piaciuta di più è l'ambientazione strana, un po' irreale, come dentro a un sogno. E poi, in pratica, quest'uomo inizia a non sentirsi più a suo agio in casa sua dopo che scopre cosa è successo, e il ruolo che lui ha giocato nella faccenda che segue, ma che non ti racconto in caso un giorno lo volessi leggere. Mi rendo conto che a mio fratello non piacevano le storie allegre. Nella sua stanza ci sono solo i suoi libri preferiti, gli altri non li teneva. Li lasciava da qualche parte. Quando non poteva, mi chiedeva di portarli in cantina. Aveva delle strane manie, Julien. Quando era deluso da un libro, se ne doveva sbarazzare subito.

Ora dovrei mettermi su *Per chi suona la campana* di Ernest Hemingway, ma mi spaventa, è un librone.

Sono contento: martedì prossimo con il mio amico Ben vado a vedere *Le Cabaret de Poussière* a Parigi. Io non ne so niente, ma sua sorella è una fan e gli ha regalato due biglietti per il suo compleanno. Prima andavo a Parigi il sabato, ma poi ho smesso. I miei non mi danno più la paghetta. Un po' di tempo fa mio padre si è innervosito e mi ha detto che dovevo riflettere su quello che volevo fare, che era l'ultimo anno che me ne potevo stare a casa così, a girarmi i pollici. Mi ha proposto di fissare un incontro con la consulente per l'orientamento del suo liceo. Ho detto di sì. Ma i consulenti per l'orientamento sono degli idioti. Ho capito che era preoccupato per me. Comunque mi ha fatto piacere.

Julien lo sogno quasi tutte le notti, ed è sempre lo stesso sogno. Abbiamo tipo dieci e dodici anni. Camminiamo l'uno accanto all'altro in un pratone tenendoci per mano. C'è il sole. Siamo vestiti uguali, pantaloncini marroni, t-shirt bianca, scarpe da trekking e zaino in spalla. L'erba è bassa, non ci sono alberi, né fiori, solo una distesa verde che arriva lontanissimo, di cui non si vede la fine. Non ho la più pallida idea di dove stiamo andando, ma faccio finta di saperlo. Più camminiamo e più l'erba diventa alta. Quando ci arriva al petto siamo obbligati a sollevare di più le gambe per andare avanti. A un certo punto compaiono degli alberi che si fanno sempre più alti e nascondono il sole. Attraversiamo un bosco di abeti. Mi chiedo da quand'è che sono spuntati quegli abeti attorno a noi e perché non li ho notati prima. La foresta è sempre più fitta, seguiamo un sentiero che si fa così stretto che devo lasciare la mano di mio fratello e mi metto davanti. I rovi mi graffiano, ma basta passarmi la mano sui graffi per farli sparire. Julien inciampa, mi giro, aspetto che si rialzi. Si è fatto male. La faccia, le gambe, le braccia sono tutte scorticate. Cade una volta, due volte, tre volte, si rialza senza lamentarsi. Il sentiero finisce. Fa lo stesso, continuo a camminare. Quando mi giro mio fratello non c'è più. Mi rendo conto che è da tanto che non mi giravo e camminavo senza di lui. L'ho dimenticato, ormai è rimasto troppo indietro. Merda! A questo punto mi sveglio. Se avessi continuato a vedere il mio psicologo e gli avessi raccontato il sogno, di sicuro mi avrebbe detto: «Interessante, Samuel. E cosa ne pensa?». E io avrei risposto: «Che sono un grandissimo stronzo a essere rimasto vivo».

Samuel

Quella domenica mattina, al bar, Jeanne ha litigato con Luc. Appena arrivata, ha visto la faccia soddisfatta, persino fiera, del suo amico. Aveva passato il sabato alla rotatoria di Vignes con gli altri gilet gialli a bloccare la statale e distribuire caramelle agli automobilisti. Lei ne era già al corrente, tanto che aveva rinunciato ad andare a Villeurbanne il giorno prima per paura di rimanere bloccata. Tutto orgoglioso, Luc le ha allungato una copia di «Le Progrès». C'era una loro foto. Posavano attorno a un fuoco, tutti imbacuccati dentro le giacche a vento. Jeanne ha fatto spallucce per poi sollevare gli occhi al cielo: «Bloccate le strade e vi mettete a distribuire caramelle. Non avete trovato niente di meglio? Sinceramente, a vedervi attorno al vostro fuoco da campo mi date l'impressione di tanti ragazzini disagiati in colonia». La conversazione è degenerata, i toni si sono accesi. Luc ha denigrato la sua battaglia contro la lottizzazione, «un problema da ricchi». E poi, le rivendicazioni dei gilet gialli, come potrebbero mai avere a che fare con lei che ha la sua «bella pensione»? Jeanne comprende alcune delle loro lamentele, ma trova inammissibile penalizzare la gente che deve andare al lavoro. Per non parlare di quelli che, nelle città, fracassano le vetrine, distruggono le pensiline dei mezzi pubblici e danno fuoco ai cassonetti. «È il solo modo di farci ascoltare» ha controbattuto Luc. Per questo, Jeanne gli rimprovera una certa malafede.

<u>Jean a Nicolas</u>

Parigi,
24 marzo 2019

Ascoltami, Nicolas,

io ti scrivo che ho difficoltà a proiettarmi nel futuro soprattutto perché sono da solo, ma che non mi lamento di questa situazione, e tu ti rifiuti di ascoltarmi. Ero indeciso se mettere fine ai nostri scambi e poi ho riflettuto: non siamo tenuti a capirci. Il tipo delle rondelle di limone ti ha messo di cattivo umore e ci sono andato di mezzo io. Per la cronaca, anche io trovo inammissibile far pagare una scorza di limone, ma confesso anche che non avrei controllato il conto prima di pagarlo (spero che quest'annotazione non ti faccia innervosire). Se succederà, ti avverto che ho già fatto scorte di rondelle di limone!

Sei convinto che sarebbe facile per me mollare tutto e vedere cosa succede, tanto sono ricco. Non è così semplice. Anche tu non lasci Parigi pur essendo tentato di farlo. Ho faticato per arrivare dove sono, investendo vent'anni della mia vita. All'infuori dell'uomo in carriera non sono niente, lo capisci?

Bene, cambiamo argomento.

I miei figli hanno fatto economia in due buone università. Boris lavora da Orange e si trova bene. Se non lo chiamassi io quando sono a Parigi, non lo vedrei mai. Ci vediamo al ristorante. Lui mi racconta del suo lavoro, io del mio, e la nostra faticosa conversazione si ferma lì. Quando arriva il conto siamo come sollevati. Ha eretto un muro invalicabile tra di noi. Presumo che ce l'abbia con me per essermi occupato così poco di lui quando era piccolo. Lo capisco. Ormai deve essergli chiaro che non volevo diventare padre. Dovrei avere il coraggio di parlargliene. Ma dato che non rimpiango di essere stato chi sono stato, me ne sto zitto. Se pensassi davvero che, tornando indietro, mi comporterei in un altro modo, glielo direi, e le cose sarebbero diverse. Oppure che ho dovuto sacrificare una parte della mia vita privata perché a lui e sua sorella non mancasse niente. Sarebbe falso. L'ho fatto per me. Unicamente per me.

Emma è responsabile acquisti da Vente Privée. La settimana scorsa mi ha detto che vuole dare le dimissioni per mettersi a studiare letteratura. Oppure seguire dei laboratori di scrittura. Non mi dispiace come idea. Le ho chiesto cosa contava di fare. Ancora non lo sapeva esattamente. Ho insistito: «Ma a che scopo?». E lei mi ha risposto farfugliando: «Ho un sogno, vorrei scrivere». Non si aspettava la mia reazione. L'ho presa e l'ho abbracciata, congratulandomi. Da ragazza, Emma scriveva dei bellissimi temi. Ci ero rimasto male che avesse scelto economia invece di seguire degli studi letterari. Ma dato che mi ero dimenticato di chiamarla per i risultati della maturità, ho tenuto un profilo basso ed evitato di darle il mio parere. Che tuttavia non mi ha chiesto. Certo, non è perché aveva buoni voti che sarà uno scrittore di talento (dovrei dire scrittrice, no?). Ma la strada che ha scelto di imboccare è affascinante. Difficile, ma affascinante. La madre è furiosa, pensa che si rovinerà la vita. Emma era con le lacrime agli occhi. Non mi spiego come mai a venticinque anni dia ancora così tanta importanza al parere di sua madre. Né come mai non abbia ricordato alla mia ex moglie che, dopo di me, ha sposato un artista. Ma me ne sono stato zitto (ancora una volta, mi dirai).

Domani mattina parto per Chicago. Partecipo a una riunione sul riciclaggio degli scarti elettronici. Conto di trovare un attimo per andare a visitare l'Art Institute. Da solo, ovviamente.

Jean

P.S. Come procede con il tuo je-ne-sais-quoi?

Nicolas a Jean

Parigi,
31 marzo 2019

Ciao Jean,
hai ragione: ero di cattivo umore e mi sono sfogato con te. Accetta le mie scuse. La verità è che senza mia moglie sono uno stronzo.

Che ci riesca o no, quello che sta facendo tua figlia Emma è positivo. Arriverà dove deve arrivare. È il genere di decisione che non si rimpiange.

Non dai l'impressione di essere una persona calorosa o espansiva con i tuoi figli. Non gli avrai parlato spesso dei tuoi sentimenti a cuore aperto. Sei felice per tua figlia, ma non riesci a scrivere più di «Non mi dispiace come idea». E in più le chiedi: «A che scopo?». Ripeto: «A che scopo?». Sembra una conversazione tra un capo e il suo sottoposto... Poi, passi bruscamente dallo scetticismo all'entusiasmo e la abbracci. E ti stupisci che lei sia sorpresa? Quante volte ti ha visto contento tua figlia, quante volte l'hai abbracciata spontaneamente? Rispondi a questa domanda e capirai meglio la sua incredulità. Scommetto che aveva paura di comunicarti la cosa, soprattutto dopo aver incassato la reazione della madre. Mi sbaglio? In generale, me la cavo molto bene con questo genere di enigmi (ok, non quando si tratta di mia moglie). Stai cambiando, Jean. Provi il bisogno di esprimere quello che pensi. Spero di non prendere un granchio, e se mi chiedi come la vedo, sono contento per te.

Presto sul mio menu: un je-ne-sais-quoi di primavera, piccoli asparagi verdi con ricci di mare, salsa tarama alla citronella.

Ci si becca,

Nicolas

P.S. Tua figlia lo sa che partecipi a un laboratorio di scrittura?

Nicolas a Jean

Mi sono dimenticato di raccontarti una cosa nella lettera che ti ho mandato ieri e che riceverai sicuramente domani.

Non c'è uomo più taciturno e selvatico di mio padre. La domenica mattina portava me e mia sorella a pescare le rane nella Dombes. In tutto e per tutto, non ci scambiavamo più di tre frasi durante quelle uscite.

Non gli interessava come andavamo a scuola. Quando all'età di diciassette anni l'ho informato che volevo diventare cuoco, mi ha scompigliato i capelli e mi ha detto: «Perché no, sarebbe bello», poi mi ha girato le spalle ed è tornato ai fornelli. Mia madre era tutto il contrario. Parlava per due e ci faceva una coccola ogni volta che ci incrociava per casa. Non è cambiata. Nostro padre non era né espansivo né affettuoso. Come te. Tuttavia, io e mia sorella non abbiamo mai dubitato del suo amore. Accanto a lui non poteva succederci niente. Nessuno avrebbe avuto la malsana idea di dare fastidio a sua moglie o ai suoi figli. Sono diventato adulto. Lui è rimasto uguale a sé stesso.

La sola che è in grado di scuoterlo è Juliette. Lei se ne frega che lui non risponda alla tenerezza che gli manifesta. «Contenga l'entu-

siasmo, Michel» gli dice seccata quando trova
che potrebbe mostrare più partecipazione. Ogni
volta che utilizza questo tono confidenziale
mi si ferma il cuore. Mi chiedo sempre come la
prenderà mio padre. E in quel momento, eccolo
che abbozza un sorriso. Gli piace molto Juliette. So benissimo quello che pensa di lei, che è
una fornaia e che per fare il pane ci vogliono i
piedi ben piantati a terra. Non come suo figlio,
con il suo ristorante chic e le sue stelle. Non
ha gradito molto che me ne sia andato a Parigi.
Sapeva bene che l'idea era di Juliette ma, caso
strano, l'ha dimenticato. Non mi chiedeva niente
del ristorante, della mia cucina. Solo per la
prima stella Michelin si è congratulato senza
troppa convinzione. Però mia madre mi ha confidato che l'aveva sbandierato in tutta Bourg-en-
Bresse. Secondo lei, è fiero di me ma complessato. Che stronzata! È assurdo e mi fa stare male.
Mio padre, penso di avertelo già scritto, cucina
i piatti tradizionali in maniera eccellente. E
chi è che mi ha fatto venire voglia di diventare
chef? Lui, ovvio.

Da quando Juliette è andata via, mi chiama
tutti i giorni. Ti rendi conto? Tutti i giorni.
Non per parlare con sua moglie, no, per chiacchierare con me. Di niente di particolare. Lui
del tempo che fa a Bourg, dell'orto, delle passeggiate con il cane, di una nuova perdita in
bagno, della macchina che ha appena comprato,
del computer che lo fa innervosire facilmente,
della puntata di *Top Chef*. Io, del Camélia, di

Adèle, di cosa le prepariamo da mangiare io e mia madre, dai miei fornitori… Aspetto la sua telefonata tutte le mattine. A quarant'anni, è un dono del cielo sapere di poter contare su mio padre e che lui si preoccupa per me.

Un giorno Boris avrà bisogno di te. Non ci saranno grandi spiegazioni sul come e sul perché. I tuoi non detti ti manderanno il cervello in pappa. Ma al momento giusto, ci sarai per lui. Punto.

Ci si becca,
Nicolas

ANIME

nico-esthover@free.fr, juju-esthover@free.fr,
jeanne.dupuis5@laposte.net,
jean.beaumont2@orange.com, samsam-cahen@free.fr

Cari tutti,

ecco, come ci eravamo detti, i tre esercizi che vi propongo di inserire nelle prossime lettere (chi ha due corrispondenti li farà due volte). I primi due riguardano la forma del discorso: si inizia con un dialogo, poi con un monologo. Vero o inventato, a vostra scelta. Per il terzo esercizio faccio appello alla vostra immaginazione: sono passati dieci anni, siamo nel 2029, come vi vedete?

Non siete obbligati a eseguirli nella stessa lettera. Ma vi chiederei di rispettare quest'ordine: dialogo, monologo, 2029. E per finire, quando inserite un esercizio, vi sarei grata se lo indicaste all'inizio della lettera.

Il dialogo. Questa è la definizione che dà il Larousse: «Conversazione tra due o più persone su un argomento preciso; contenuto della suddetta conversazione; colloquio, discussione». Devono intervenire almeno due soggetti. Fate attenzione ad alternare discorso diretto e indiretto, e non abusate di disse, dichiarò, domandò... Scrivete battute di lunghezze diverse e, ricordate, il modo di parlare dei vostri personaggi deve riflettere la loro personalità.

Georges Simenon, Agatha Christie ed Ernest Hemingway dominavano perfettamente l'arte del dialogo. Prima di lanciarvi nell'impresa, vi consiglio di (ri)leggerli.

Il monologo. Édouard Dujardin (1861-1949) dà questa definizione in *Il monologo interiore*: «Discorso senza uditore e non pronunciato col quale un personaggio esprime il suo pensiero più intimo, più vicino all'inconscio, anteriore a ogni organizzazione logica, cioè allo stato nascente, attraverso frasi dirette, ridotte al minimo sintattico in modo di dare l'impressione del suo primo manifestarsi». Troverete dei bellissimi monologhi interiori in *Aurélien* di Aragon, *Le onde* di Virginia Woolf, *L'urlo e il furore* di William Faulkner, *Infanzia* di Nathalie Sarraute, *La caduta* di Albert Camus.

Per l'ultimo esercizio avete piena libertà.

Questi esercizi sono l'occasione di mettere in pratica quello che avete imparato. Tenete a mente tutti i punti che abbiamo affrontato fino a ora.

<u>Jeanne a Juliette</u>

Verjus-sur-Saône,
17 marzo 2019

Cara Juliette,
non puoi cambiare quello che è stato. Però puoi rimediare. Devi accettare le tue crepe.

Conviverci. Tua figlia ti ama per come sei e ti amerà anche con il tuo passato. Fai il possibile per guarire e vedrai che il vostro rapporto migliorerà. È vero, i suoi primi mesi di vita non te li sei goduti per niente o quasi, è spiacevole, ma avete ancora tanti anni insieme. Un giorno le dirai cosa ti è successo. Non conosco le ragioni del cataclisma che hai vissuto, forse nemmeno tu. Ma prevedo che se andrai a fondo delle cose, con onestà e coraggio, interromperai il circolo vizioso. La maternità ha risvegliato sentimenti dolorosi dentro i quali sei sprofondata. Per rialzarti più forte. Ho letto *Tremblements de mères* di Maman Blues, un'associazione di donne che vivono i tuoi stessi tormenti, ne avrai sentito parlare di sicuro. È una raccolta di testimonianze di vittime di depressione post-partum. Loro sono guarite e oggi hanno un rapporto sereno con i figli.

Pensa, invece, a quello che succede a me. Io e mia figlia siamo state legatissime per venticinque anni, e poi più niente. Senza la minima spiegazione. Non avrei potuto immaginare che la vita mi riservasse una simile delusione. Che saremmo arrivate a questi estremi. Che io, sua madre, che l'ho amata, ammirata, protetta, sarei diventata incapace di perdonarla, di proteggerla al di là di tutto. Sono forse anormale? Che razza di madre sono? Che razza di padre sono? Domande del genere se le pongono tutti i genitori prima o poi. Io, per esempio, ogni mattina quando mi alzo, ogni sera quando vado a letto.

Mi scrivo anche con il giovane Samuel, non so se ti ricordi di lui. Mi sono molto affezionata a quel ragazzo, che durante il nostro incontro è stato così scontroso. Gli ho mentito nelle mie lettere, gli ho detto che vedevo mia figlia raramente, che era sposata e viveva in Cina. Non me la sono sentita di dirgli la verità, mentre lui mi ha scritto di non volere figli, mai, e quanto è complicato il rapporto con i suoi genitori. Un marito in Cina? Chissà perché mi sono inventata questa vita! Mistero...

Ti chiedi perché tuo marito ti evitava quando sei tornata a casa dall'ospedale. Hai provato a chiederglielo?

Oggi io sono contenta. Ho organizzato un colloquio tra il sindaco e un architetto specializzato in lottizzazioni ecologiche. Costruisce case con strutture di legno e muri in paglia. Sono riscaldate in parte a energia solare, raccolgono l'acqua piovana in cisterne, possiedono ciascuna un piccolo giardino, e ci sono anche sale e orti comuni. Malgrado le nostre controversie, ho stima del sindaco. Mi ha chiesto perché sono così legata alla preistoria! L'umorismo non gli manca, è una delle sue qualità. Che peccato che sia così poco sensibile all'ecologia e all'architettura. Gli ho risposto: «Perché quello che è possibile in Bretagna e nel Nord della Francia non si può fare qui da noi?». Lui ha sospirato: «Jeanne, credo che per l'ennesima volta l'ultima parola sia la sua». Abbiamo fumato il calumet della pace nel suo

giardino davanti a una bottiglia di Beaujo-
leais-Villages.

Si sistemerà tutto, Juliette.

Jeanne

Juliette a Jeanne

Malakoff,
29 marzo 2019

Cara Jeanne,
grazie per le tue parole d'incoraggiamento. Mi
aiutano. A proposito di quello che stai vivendo
con tua figlia, provo per te grande compassione
e ammirazione. Ci vuole coraggio per smettere
di cercare di vederla a ogni costo, smettere
di aspettare sue notizie. Effettivamente, non
siamo obbligati ad accettare tutto da parte dei
nostri figli. Ma quanto deve essere stato difficile prendere una decisione del genere! Mantenerla ancora di più. In tutta onestà, mi chiedo
se tu abbia davvero ragione a non tentare più di
ristabilire un dialogo con lei.

Mi scrivi che forse ignoro le cause della mia
depressione. Le conosco e pensavo di avertele
raccontate. Sono nata con parto anonimo, il 10
dicembre 1979 a Caen. Mia madre non mi ha lasciato niente, nessuna lettera per spiegare il
suo gesto, non un singolo oggetto come ricordo. Sono stata accolta da una coppia che aveva
fatto domanda di adozione otto anni prima. Per

loro ero l'ottava meraviglia, mi hanno riempito d'amore. Ho dei genitori meravigliosi. Non mi hanno nascosto niente delle mie origini. Non era un argomento tabù. Io lo avevo solamente messo in un angolo. Mi capitava di pensarci, ma sempre con leggerezza. Chi, tra il mio vero padre e la mia vera madre, aveva i capelli neri, gli occhi a mandorla, le sopracciglia così folte? Iniziare delle ricerche non mi è mai venuto in mente. Non sapevo nemmeno fosse possibile. Ho scoperto solo di recente che esistono dei siti specializzati. Tu ci metti il tuo nome, il luogo di nascita, la data, e loro recuperano le informazioni in base alle loro banche dati. C'è anche il Comitato nazionale per il diritto alle origini biologiche. In realtà, io non voglio saperlo. Ho paura che i risultati mi feriscano. Troppo tardi, ormai. Preferisco imparare a lasciare uno spazio nella mia vita a questa madre fantasma. Mi auguro di andare avanti, con quello che mi è stato tolto e quello che mi è stato dato. Avendo io, come dici giustamente tu, interrotto il circolo vizioso.

Tu ammiravi tuo marito. Anche io ammiro il mio. Per il suo modo di farsi strada. Non ne abbiamo già parlato? Non si è montato la testa per via delle stelle Michelin, anche se ne va fiero. Mi ha sollevata il fatto che fosse rimasto lo stesso. Non è diventato indifferente agli inviti, alle lusinghe che questo genere di riconoscimenti scatenano, semplicemente non gli fanno né caldo né freddo. Resta sempre sé stesso, un bambino meravigliato dall'arte della cucina. Con tutte le sue moine, Parigi avrebbe potuto guastarlo. Lui invece non glielo ha permesso. Se non ci si mangia bene, i ristoranti alla moda lo irritano, come quei bistrot dai prezzi esorbitanti. Nicolas ha l'indignazione facile. Dice quello che pensa e s'innervosisce in fretta. Non gli importa di dare spettacolo. Quando la tempesta sta per scatenarsi, posso pure dirgli di calmarsi, di tornare in sé, non ci vede e non sente più. Vuole solo una cosa: buttarsi nella mischia. In quel caso, il mio uomo, il mio vulcano adorato, mi fa impazzire.

Devi venire a cena al Camélia, Jeanne. Si mangia divinamente, e la sala è molto bella. Nicolas ha conservato i muri in pietra e fatto colare un pavimento di cemento, arredato con tende in velluto spesso color carbone, tavoli in quercia affumicata, sedie nere di pelle invecchiata. «Non mette proprio allegria» ha commentato il padre quando è venuto a cena. Non ha tutti i torti.

Complimenti per l'incontro che hai organizzato con il sindaco. La testardaggine dà i suoi frutti. Non so granché di architettura eco. Figurati che i miei genitori vivono proprio in uno di quei lotti che descrivi tu.

Dall'inizio del laboratorio Esther mi fa notare che ho difficoltà nell'uso dei connettivi, che utilizzo frasi troppo brevi senza coordinare i periodi. Prima di scriverti ci penso sempre, poi però mi dimentico, non c'è niente da fare. Spero che le mie frasi non siano troppo oscure per questo.

Un abbraccio,
Juliette

<u>Jean a Esther</u>

Canton-Parigi,
27 marzo 2019

Cara Esther,
«rappresenti tutto ciò che di solito evito in un uomo». Mi hai messo di cattivo umore con questa frase. Sii indulgente, io ti parlo di me in tutta franchezza, mettersi in discussione non è facile. Anche quando tu metti alla porta i tuoi fidanzati per «difetti insormontabili», ci stai andando giù pesante. Sarei curioso di sapere questi difetti che firmano la condanna a morte.

Penso spesso a te e a tuo padre. O meglio, alla vostra corrispondenza. Non è per niente comune...

Se smetto di lavorare, questo è il progetto: piazzarmi sul balcone del mio appartamento. Starmene a guardare il cielo, la gente che passeggia e si dà appuntamento nel parco delle Tuileries che mi piace tanto. È lì che mi vedo e da nessun'altra parte. I giorni passeranno e io diventerò un vecchio babbione, avrebbe detto mia nonna. Il mio cervello si rifiuta di proiettarsi oltre, di darsi una prospettiva diversa da quel balcone con vista.

Per te, Esther, faccio uno sforzo e mi immagino il seguito. È inverno, tremo dal freddo sul mio balcone, un plaid sulle spalle, fumo non uno ma due pacchetti di sigarette al giorno. Sono fiacco. Contemplo i miei passanti: quel signore con il bassotto tedesco; il dog-sitter che cammina a passo spedito con una decina di cani attorno; chi fa jogging con le cuffie alle orecchie; le tate che chiacchierano sulle panchine mentre i bambini giocano; i netturbini e i giardinieri che lavorano per strada a tutte le ore; i turisti che si esaltano a ogni angolo proprio come fanno i turisti. Purtroppo arriva un giorno in cui non mi distraggono più. È tempo che me ne vada, senza lasciare tracce. Preparo la mia scomparsa. Divento un evaporato, come in Giappone. Cambio pelle, nome, mi sgancio da ogni obbligo, pressione, non ho più nessuna esigenza nei confronti di me stesso e degli altri.

Non sono più nessuno. È o non è un cambiamento radicale, questo?

Un abbraccio,

Jean

Per paura di rovinare ancora di più la sua immagine, Jean non racconta a Esther del suo lavoro, di quello che gli è stato chiesto di portare a termine negli ultimi anni e che lui ha portato a termine. Senza rimorsi. Arnaud e Pascal si sono serviti del suo punto debole, il denaro. Gli hanno affidato i compiti più ingrati, ogni anno peggio; quelli in cui, per riuscire, non puoi caricarti di scrupoli. Avrebbe potuto rifiutare. Non l'ha fatto. Se ben pagato, diventava un mercenario, pronto a qualsiasi missione. Jean ha sempre pensato che Arnaud e Pascal lo considerassero come un amico. Non è più così sicuro. Nella peggiore delle ipotesi, lo disprezzano; nella migliore, li lascia indifferenti. Si mette nei loro panni. Li comprende.

Esther a Jean

2 aprile 2019

Jean!

La tua malafede è incredibile. Io ho scritto che, a rigor di logica, dovrei trovarti spregevole ma che invece non è questo il caso, e tu mi accusi di essere dura, fissandoti su un'unica frase: «Rappresenti tutto ciò che di solito evito in un uomo». La tua sintesi non rende giustizia a nessuno dei due. Mi fai passare per un'arpia autoritaria e intransigente con gli uomini. Mi immagini mentre tronco bruscamente con frasi del tipo: «Hai un timbro di voce da incubo, preferisco che ci fermiamo qui», o «È strano, non avevo notato che mangi con la bocca aperta», o ancora: «Se avessi saputo che la mattina bevi il caffè istantaneo, me ne sarei tornata a casa mia stanotte». Ricrediti. Al contrario, io nascondo con cura le mie nevrosi sulla vita di coppia. Di solito uso la scusa del voler stare da sola o del momento sbagliato per iniziare una nuova storia.

La corrispondenza con mio padre era una cosa speciale, hai ragione. Sono consapevole che scrivendoci — per di più abitando nella stessa città — ci comportavamo come gli strambi personaggi di un vecchio romanzo. Ed è forse per colpa di questo mio passato epistolare se ho difficoltà ad abituarmi alle mail, agli sms, ai social. Su Instagram, dove si condividono foto e video, non c'è bisogno di parole, o quantomeno poche, per esibire il proprio ego. Posti da sogno, volti sorridenti, corpi abbronzati, gatti buffi, piatti appetitosi… Tutt'al più si aggiungono didascalie tanto per far ridere. Questa ostentazione di felicità artificiale sempre traboccante, questo narcisismo accettato, rivendicato, mi urtano. WhatsApp non è meglio. Non si può più andare a cena fuori, a una festa, partire per un fine settimana o per un viaggio senza dover creare un gruppo, senza tenersi collettivamente informati di ogni minima mossa, con foto e commenti a sostegno, il più delle volte discutibili. Cosa significa questa impossibilità di accontentarsi del momento presente e di lasciarlo andar via? Perché non sappiamo più apprezzare le cose e gli avvenimenti per quello che sono? Il nostro giardino è pieno di erbacce. Quando tento di convincere mia figlia dei vantaggi della carta e della penna, lei tenta di convincere me dei vantaggi dei social. Mi rimprovera di farne la caricatura e disprezzarli. Instagram serve anche a mostrare il proprio lavoro, condividere momenti, difendere opinioni, pubblicare *stories*… Quando me ne parla, ho come l'impressione di avere centodue anni. E poi, insomma, perché *stories* e non storie? Alla fine, ci mandiamo a quel paese.

Conosco il parco delle Tuileries, è un luogo meraviglioso. Che fortuna abitarci proprio di fronte. Da lì a passare le giornate al balcone, è esagerato. E poi, perché parli di «evaporare»? In Giappone si cade nella tentazione del johatsu dopo un licenziamento, per fuggire da un lavoro opprimente, una situazione familiare invivibile, un debito, il disonore. Tu, per quale motivo spariresti? So che ti piace prendermi in giro ma, per favore, trattami con riguardo. Gli uomini che ipotizzano il peggio nella loro vita ragguagliandomi per posta non mi fanno ridere.

Ho preso il coraggio a due mani e ho riportato a casa le lettere che ho spedito a mio padre per più di vent'anni. Sapevo che le conservava in alcuni scatoloni, non che fossero organizzate così bene, in ordine cronologico, dalla prima all'ultima. Ho iniziato a catalogare le sue. È un'impresa. Mio padre era un uomo ordinato. Io no, tutt'altro. Non voglio rileggerle, non sono pronta. Ho solo notato che la mia grafia è cambiata in vent'anni e ormai somiglia alla sua. Immaginati la scena, io seduta in mezzo a decine di scatoloni e seimila lettere sparpagliate attorno a me. È così che mi ha ritrovata Pia, dopo aver trascorso una settimana da suo padre. Mi ha detto che era un'immagine «abbastanza spaventosa». Vuole sapere se un giorno gliele farò leggere. Ovviamente sì.

Un abbraccio,

Esther

P.S. Se ti ricordi, mi manderesti una foto della vista sulle Tuileries? Un giorno di pioggia, se possibile. Anzi, un giorno di nebbia, meglio!

Nicolas a Juliette

Parigi,
30 marzo 2019

Mia Juliette,

quando sei tornata a casa non sapevo cosa aspettarmi. Ero terrorizzato dall'idea che potessi di nuovo crollare o ricominciassi con le tue sclerate. Pensavo solo a questo. Che al minimo segnale dovevo chiamare il medico. Non ne potevo più dei tuoi rimproveri, della tua disperazione, della tua follia, della tua gelosia. Prima di infilare la chiave nella serratura, prendevo un respiro e pregavo di non trovarti a letto in preda a una crisi di nervi. Stavo sul chi va là. Teso come una corda di violino. Esausto. Mi sono rintanato nel mio cantuccio nella speranza che tu riuscissi a rimetterti in sesto, che ripartissi con Adèle su nuove basi. Me ne sarei andato volentieri via per qualche giorno. A ricostruire la nostra coppia non ci pensavo per niente. Capisco che me lo rinfacci. Non potevo fare altrimenti. Se mi avessi chiesto: «Dimmi che mi ami, ho bisogno di essere rassicurata, di riprendere fiducia in me stessa», non ne sarei stato capace.

Ti ricordi le parole di *Rêves secrets d'un prince et d'une princesse*, la canzone di Michel Legrand che avevi scelto per il nostro matrimonio in comune? L'altro giorno l'hanno passata alla radio.

Mais qu'allons-nous faire, de tout cet amour
Le montrer ou bien le taire?
Nous ferons ce qui est interdit
Nous irons ensemble à la buvette
Nous fumerons la pipe en cachette
Nous nous gaverons de pâtisseries
Mais qu'allons-nous faire, de tous ces plaisirs?
Il y en a tant sur Terre...[*]

Questa canzone parla di noi. Ci piaceva farci quella domanda: cosa ne faremo di tutta questa felicità? L'abbiamo abbracciata, gustata ogni giorno, come se fosse il primo e l'ultimo. Quindici anni dopo siamo ancora qui a dirci che abbiamo tra le mani un piccolo miracolo. Insomma, io me lo dicevo. Mi stavo facendo dei film?

Ascoltando la fine del brano, mi è venuto da ridere per il nervoso. Vedi un po':

* Ma cosa dobbiamo farne, di tutto quest'amore / Mostrarlo oppure tacere? / Faremo quello che è vietato / Andremo insieme alla fonte / Fumeremo di nascosto la pipa / Ci ingozzeremo di pasticcini / Ma cosa dobbiamo farne, di tutti questi piaceri? / Ce ne sono così tanti sulla Terra...

Nous ferons bien sûr des tas d'enfants
Nous vivrons ensemble
*Un conte de fées charmant.**

Me ne frego di avere un sacco di figli, Juliette. Voglio che torni da me, e che tutti e tre ce ne stiamo tranquilli e spensierati e ci ingozziamo di dolci. E tutto sarà perfetto.

N.

Juliette a Nicolas

Malakoff,
7 aprile 2019

Oh Nicolas,
la canzone di Michel Legrand inizia così: *Io non sapevo che mi amavi. Ne sei certo oramai?* Avevo paura che tu non mi amassi più. Non risalirò la china se non ti ho accanto. Fortunatamente, ci sono le tue lettere, piene di parole d'amore e di incoraggiamento. Gli chiedo aiuto di giorno e di notte. Loro mi accarezzano, mi solleticano, mi confortano. Ieri sono andata in maternologia con Adèle con l'animo più leggero del solito. Per la prima volta abbiamo condiviso una gran risata. È andata così: eravamo nella sala dei giochi quando un ragazzino si è messo a piangere, lei ha smesso di giocare, l'ha osservato, ha voluto imitarlo. Non ci riusciva. Curvava la bocca, gonfiava le

* Faremo di sicuro un sacco di bambini / Vivremo insieme / Una favola.

guance, stringeva gli occhi… Era buffissima. Ho iniziato a ridere, non potevo smettere. Lei mi ha guardata sorpresa, e poi è scoppiata a ridere anche lei, fortissimo. Che bello! Per qualche minuto ho dimenticato tutto. La sola cosa che importava era ridere, ridere e ancora ridere con lei. Ho vissuto il mio primo momento di felicità con nostra figlia. Ho scoperto quella gioia che non ha eguali. Adèle ha pianto quando l'ho abbracciata prima di separarci. Anche io. Ma questo immagino tu lo sappia da tua madre, che si è subito unita a noi. Mi ha chiesto se mi andava di restare. Non ho risposto.

Spero che ci saranno tante altre prime volte con Adèle. Che niente è ancora perduto. Che è solo l'inizio della nostra vita insieme, che comincia solo un po' più tardi del previsto.

Nei miei sogni ti bacio, ti passo le dita tra i capelli, tu mi stringi tra le tue braccia, mi spogli, poi non ti vedo più. Sono nuda e tu sei sparito in una nuvola di nebbia.

Non mi hai più raccontato come procede con l'insapore.

Émeline mi ha detto che hanno aperto nuovi forni in rue des Martyrs. Sono andata a vedere. Mi chiedo come faranno. Tra il numero 1 e il 60 ce ne sono quattro, più due pasticcerie, un negozio di meringhe e uno che fa solo bignè. Ti rendi conto? Ora va di moda la brioche con le praline, ne ho assaggiata una… Bah, niente di che. La pasta era buona, le praline troppo zuccherate. È sempre la stessa storia con le praline: o non sono buone e ce ne sono troppe, oppure sono buone e troppo poche. Niente a che vedere con Pralus. Mi hanno dato l'idea per una brioche sfogliata al cappuccino. Ultimamente le norme sull'uso delle farine si stanno ammorbidendo e vedo che si usano sempre più farine bio e artigianali. La cosa mi conforta in vista del mio progetto del mulino, finalmente avrei l'occasione di produrre e selezionare i miei cereali. A proposito, non mi hai detto cosa ne pensi.

Ho provato a scrivere ai miei genitori, non ci sono riuscita.

Con affetto, e baci,
Juliette

Jeanne a Samuel

Verjus-sur-Saône
1° aprile 2019

Caro Samuel,
quando andrò a Lione comprerò *Nagasaki*. Ho letto *Per chi suona la campana* al liceo quando avevo sedici anni. Me lo ricordo perché all'epoca uscivo con un ragazzo spagnolo, un mio compagno di classe. Jesús. Sapevo che era un nome abbastanza comune nel suo Paese. Per me, cresciuta in una famiglia atea, era una cosa assolutamente straordinaria. Come si viveva con il nome di un profeta? Che tipi erano dei genitori che sceglievano di chiamare il proprio

figlio Jesús? Per quanto me lo sia chiesta, non ho mai avuto la risposta a queste domande, ma mi sono comunque innamorata. Il mio Jesús (da pronunciare «Hesuss») se ne infischiava del vero Gesù e di tutta la sua cricca. Mentre invece lo appassionava la Guerra di Spagna.

È fantastico, quindi continuerai a leggere. I tuoi genitori se ne sono accorti?

Finora non mi hai parlato del tuo amico Ben. Vi conoscete da tanto?

È raro che mi ricordi dei sogni che faccio. Al contrario, a mio marito piaceva raccontarmi i suoi. Erano stravaganti. «E dopo?» gli chiedevo ogni volta che il racconto si interrompeva bruscamente. «È finito così» mi rispondeva. I tuoi sono trasparenti, hanno un inizio, uno svolgimento e una fine. Non sei un «grandissimo stronzo». La prossima volta che passeggi nella foresta, prima di proseguire, voltati per dire addio a tuo fratello che non riesce più ad andare avanti e per il quale non puoi fare niente.

Non ho dimenticato di parlarti dei miei animali, ma mi chiedevo solo da dove iniziare. Vorrei che condividessi la mia empatia per loro, o almeno la rispettassi. Ho paura che mi trovi ridicola. La cosa migliore è spiegarti come mi sono legata a loro.

Per i miei trent'anni, mio marito Hadrien mi ha regalato un cane. Si chiamava Dimanche, come il giorno. Era un flat coated retriever. Era alto, magro e muscoloso, aveva gli occhi e il pelo neri. I flat coated sono cani bellissimi, ma lui ancora di più. Era destinato a un non vedente, ma è stato rieducato e messo in adozione a diciotto mesi. Era dolcissimo e molto molto energico. Ci faceva ridere immaginarlo come cane guida per ciechi. Il pover'uomo o la povera donna a cui avesse fatto da guida sarebbe di sicuro finito gambe all'aria per colpa di qualche tombino.

Dimanche è morto a dieci anni. I suoi ultimi mesi mi hanno logorata. Aveva un cancro all'altezza dell'anca. Lui che adorava correre e nuotare era ogni giorno più debole. Dio mio! Avresti dovuto vederlo correre tra gli alberi o camminare sul ghiaccio quando lo stagno si gelava! Ma era diventato impossibile per lui, e durante le nostre passeggiate, sempre più brevi, si metteva seduto in mezzo alla strada per riprendere le forze in attesa che la crisi passasse, o almeno così pensavo io. Mi sedevo accanto a lui e lo accarezzavo. «Non abbiamo fretta» lo rassicuravo. Non era vero. Avevo degli appuntamenti, ero in ritardo. Si rialzava e ripartivamo un passo dopo l'altro. Mi sforzavo di restare dietro di lui, per lasciargli l'illusione di guidarmi come aveva sempre fatto. Non sopportava di camminare dietro me o Hadrien. Dimanche non aveva il guinzaglio. Non mi piacciono guinzagli, museruole, gabbie, frustini, morsi… tutti quegli oggetti che imprigionano sono l'esempio del nostro dominio sull'animale. Per strada gli ripetevo: «Come sei coraggioso, Dimanche». Lo pensavo, con dolore. Io che fino a quel momento avevo provato pietà per quei vecchi che per strada parlavano con i propri cani… Quel cane così vigoroso soffriva, ma non mollava. Quando gli dicevo «Andiamo a farci una passeggiata» continuava comunque ad alzarsi di scatto, vacillando sulle zampe prima di trovare una specie di equilibrio. Avevo paura che crollasse.

Prima ha colpito il fegato, poi i polmoni. Ormai riuscivamo a fare solo qualche passo sul marciapiede prima di rincasare per farlo stendere. Era diventato così magro e debole.

Abbiamo posticipato più volte il momento dell'iniezione. Una mattina non si è più alzato. Sembrava soffrire tanto. Era la fine. Volevo che si spegnesse a casa sua. Dopo aver chiamato il veterinario, mi sono stesa accanto a lui, l'ho accarezzato, ho poggiato la testa contro la sua, gli ho parlato tra le lacrime: «Sei un cane meraviglioso, Dimanche. Quello che sognavo fin da piccola». Avevo paura di sentire il rumore del campanello, ma alla fine ha suonato. Il dottore gli ha fatto la puntura, è morto dolcemente.

Ho pianto per dodici giorni dal mattino alla sera, Samuel. Era inimmaginabile. Le lacrime non smettevano di scendere. Piangere così, senza tregua e a lungo, ti sfinisce.

Tutto mi ricordava lui. Mi mancava ogni minuto. Aprivo la porta di casa e non era lì ad accogliermi. Prendevo la macchina e non vedevo più la sua bella testolina al centro dello specchietto retrovisore. In ogni strada, negozio, parco, avevo un ricordo con lui. Provavo un dolore immenso. Me ne vergognavo, tanto che non riuscivo a parlarne. Non avevo parole. Se mi fossi confidata con i miei amici su quanto soffrissi, l'avrebbero giudicato sproporzionato e ridicolo. Oppure indecente. Sapevo che l'avrei superata, non era quello il problema. Ma non capivo la violenza del mio dolore, perché non riuscivo a controllarlo. Avevo perso un cane, non un figlio. In più, ero da tempo preparata al peggio. E quindi? Un'ipotesi: la relazione tra uomo e cane è unica, impareggiabile. Il cane è devoto al suo padrone corpo e anima, come se fosse tutta la sua vita. Ha solo un obiettivo: farlo contento. È leale, affettuoso, il suo amore è totale. Se fossi stata crudele con Dimanche, se lo avessi picchiato, spaventato, lasciato senza cibo, mi avrebbe fatto gli occhioni tristi, ma sarebbe rimasto fedele e docile fino all'ultimo respiro. Questo amore incondizionato m'impone ammirazione. Ma oltre a questo, c'è qualcosa di vertiginoso. Con Dimanche ho capito quanto è facile approfittarsi di un cane e della sua gentilezza, scivolare dall'altro lato, quello del disprezzo e dell'indifferenza (non mi riferisco a chi maltratta gli animali). Quanto è facile sfogare su di lui il nostro cattivo umore, eliminare la passeggiata se sei di fretta, mandarlo a quel paese. E noi, per tutta risposta, a cosa andiamo incontro? A quegli occhioni che dicono: «Cosa ho fatto di male? Scusami! Ti voglio bene». Ce lo meritiamo tutto quest'amore? Certo che no. Non ne siamo all'altezza. È impossibile.

Esserne coscienti è un'esperienza indimenticabile che ti snerva e ti destabilizza allo stesso tempo. Hai insistito che ti parlassi dei miei animali, ma non potevo farlo senza ricordare Dimanche.

Questa storia, mentre tu piangi, è fuori luogo. La morte di un animale non è quella di un fratello. È su un'altra scala di valori.

Con il suo padrone, il cane è felice, agli ordini, sottomesso. È così, esercitiamo un potere su di lui, come su tutti gli altri animali, senza limiti ed eccezioni. Da secoli, l'uomo li ha resi schiavi. Questa dominazione non è mai stata messa in dubbio. E all'inizio di questo XXI secolo continuiamo a mangiarli, cacciarli, pescarli, addestrarli, torturarli, picchiarli, dissezionarli, ingabbiarli, sterminarli. Ci sto male fino a farne una malattia. Con quale diritto l'uomo si comporta così? La sappiamo tutti la risposta: in nome della sua intelligenza superiore. Dimostra davvero un'intelligenza superiore usando e brutalizzando i più deboli? Capisci, la mia compassione è immensa. Quando ho il coraggio di vedere i video di L214 o di Peta, le organizzazioni animaliste, le conosci, no?, in cui vengono denunciate le crudeltà di cui è capace l'uomo, mi viene da urlare dalla rabbia, mi si aggrovigliano le budella. Stamattina, ho scoperto che i cinesi ogni anno acquistano 1,8 milioni di pelli d'asino, un ingrediente essenziale per i loro farmaci, dall'Africa, dove quei poveri animali vengono uccisi a martellate. Che

rabbia! Mi consolo da questi orrori battendomi
per la causa degli animali. Avrei potuto sce-
glierne altre. Ce ne sono così tante. Se non mi
fossi buttata nell'azione ora sarei una misan-
tropa depressa.

Quando Hadrien ha voluto trasferirsi in campagna, ho accettato a una condizione: racco-
gliere animali destinati al macello. Le mie due
mucche, delle Prim'Holstein, si chiamano Mezzo e
Soprano. Quando mi poggiano la testa sulla spalla sono di una dolcezza infinita. Ho recuperato
Chocolat, il mio asino, in un rifugio per animali dell'associazione Les Crins de Liberté. È
ancora un selvatico. Ha paura di tutto. Sono tre
anni che provo a rassicurarlo senza successo. Ma
si fida di Yamaha, il cavallo. Lui, l'ho salvato
da un club di equitazione che lo aveva destinato
al macello. Troppo vecchio, troppo stanco.

Ho anche due maiali, provenienti dagli allevamenti in batteria, che mi hanno lasciato portare a casa perché erano malati. All'inizio se
ne stavano in un angolo del loro recinto, terro-
rizzati, e se tentavo di avvicinarli, bam bam!,
andavano a sbattere contro il muro di fondo.
Dopo un po', sono usciti. Erano molto diffiden-
ti. Correvano a nascondersi non appena facevo un
gesto o vedevano qualcosa muoversi fuori. Hanno
poggiato le zampe sulla terra, sull'erba, hanno
scoperto cosa vuol dire muoversi senza costrizioni, godendosi la luce del giorno, il sole,
l'aria, gli alberi e l'orizzonte. E per la prima
volta si sono rotolati nel fango! Quando assi-

sto a scene del genere, un animale imprigionato, maltrattato, che scopre la libertà (o meglio, la semilibertà), mi dico che ho ragione di darmi tutta questa pena.

Dopo averli curati li ho presentati ai bambini del mio paese. «Che schifo, sono brutti, che grossi, come puzzano!» Avevano paura ma non osavano dirlo. Non s'immaginavano che i maiali fossero così imponenti. E allora scherzavano: «Quando lo fai il prosciutto, Jeanne?» oppure «È con loro che si fanno gli hot-dog?». Mi hanno proposto dei nomi che ho rifiutato: «Grasso» e «Lardo», «Justin» e «Bridou» come le famose salsicce, «Del maiale» e ««Non si butta niente», «Salame» e «Trippa»… Hanno imparato a rispettarli. Li hanno chiamati Alfred e Robert. I miei animali vivono in due immensi prati. I bambini adesso bussano alla mia porta il fine settimana per aiutarmi a dargli da mangiare e a lavare i recinti. Gli parlano, li accarezzano. È una vittoria. Si tratta solo di educarli, come sempre. Ho addomesticato Alfred e Robert. Sono diventati quasi affettuosi. Mi chiedo se gli animali che hanno avuto la fortuna di scappare dall'inferno si ricordano del loro passato oppure se ne dimenticano.

Dopo Dimanche non ho più voluto altri cani. Per non rivivere quello stesso dolore. Leggi a voce alta questo passaggio di *Chiens*, un bel saggio del filosofo Mark Alizart: «E aggiungo: quell'angelo, quell'angelo soprattutto, è un cane, di quelli che precedono febbrilmente il padrone vegliando senza sosta che la catastrofe

ambulante alle loro spalle che siamo noi li se-
gua per bene. Quel cane, il tuo re».

Jeanne è interrotta dal campanello alla porta. È Luc. «Il
fatto che sia venuto io da lei non vuol dire che sono io ad
avere torto. È che non mi piace questa situazione tra noi»
bofonchia ancora sulla porta. Lei lo invita a cena. Evitano
gli argomenti scomodi. La serata finisce in musica. Favore
rarissimo, Jeanne accetta di mettersi al piano. Interpreta
alcuni *Notturni* di Chopin, *Rapsodia in blu* di Gershwin
e *Il Valzer romantico* di Debussy. Luc resta vicino a lei,
in piedi, guarda le sue dita sulla tastiera, il corpo che ac-
compagna la musica, il volto disteso e sorridente. È tardi
quando se ne va. Suonare a lungo, senza dolore alle mani,
le ha fatto proprio bene: la lettera la finirà più tardi.

Ti vedo, Samuel, come se fossi lì, ti vedo
mentre pensi: questa vecchia rimbambita è una di
quelle che mangiano semi e lombrichi, si lavano
i capelli con l'avocado frullato, fanno luce con
le candele e si vestono con dei sacchi di iuta.
Ah ah! Nient'affatto. Non sono un'integralista.
Non mangio carne, ho un compost per i rifiuti,
una cisterna che recupera l'acqua piovana, delle vigne con coltivazione razionale ed evito la
plastica quando posso. È tutto, credo. (Acciden-
ti! Dopo i consigli di Esther, mi ero detta di
fare attenzione a non abusare di interiezioni,
ed ecco che ricomincio).

Voglio finire la lettera con una citazione di George Thorndike Angell, un avvocato americano, grande difensore della causa animale: «A volte mi chiedono: "Perché investe così tanto tempo e soldi a parlare di bontà nei confronti degli animali quando contro gli uomini si commettono così tante crudeltà?". Io rispondo: "Lavoro alla radice"».

Jeanne

Samuel a Jeanne

5 aprile

Ciao Jeanne,
Ben è il mio migliore amico da quando eravamo piccoli. Ai tempi della scuola, era lui lo scansafatiche tra i due. Oggi è il contrario. Lui si è preso il diploma professionale e ora lavora in un ristorante. Non ha continuato a studiare perché gli piace cucinare e voleva guadagnare. I suoi genitori sgobbano per arrivare a fine mese. Lui si pente perché dice che gli mancano le basi e vuole provare a fare una scuola di cucina. Mi piacerebbe tanto dirti che Ben è un po' come mio fratello, ma non posso, per rispetto a Julien. Siamo andati a vedere Le Cabaret de Poussière allo Zèbre di Belleville e devo dire che abbiamo passato una serata pazzesca. Non ci saremmo mai andati se non avessimo avuto i biglietti gratis. Ci sono cantanti, ballerini, narratori, è trash,

super osé, ci siamo divertiti un sacco. Mentre uscivamo una ragazza ha detto che era «il burlesque in tutto il suo splendore». Ho guardato sul cellulare cosa voleva dire burlesque. Ha ragione. Ho fatto lo stesso per le tue interiezioni, non mi ricordavo più cosa sono.

Tra l'altro non è vero che non vado più a Parigi. Continuo ad andarci per infilarmi nelle manifestazioni. Del motivo, te lo dico chiaro, me ne frego abbastanza. A me piace stare nella folla, stretto, in mezzo a gente esaltata che canta e che grida. Questo genere di situazioni mi fa felice. Ho marciato con quelli di Act Up, con gli studenti davanti al Pantheon contro l'aumento delle spese di iscrizione per gli studenti stranieri, per il clima, per il diritto all'alloggio, per i clandestini, e per tutte le emergenze… Mi sento di essere qualcuno, di fare parte di una comunità. All'inizio ci andavo per le ragazze, ma ho capito subito che non era cosa. Arrivano sempre in gruppo e fare colpo è complicato. Be', esagero, ce ne stanno anche di simpatiche. Ma mi sento uno sfigato. Mi piacciono quelle che studiano, che gridano e cantano forte, solo quelle. Quando mi guardano, se mi chiedono qualcosa, vado in corto circuito. Non sono all'altezza, preferisco svignarmela. Ho degli amici che ci sanno fare con le ragazze. Io no.

Non penso per niente che tu sia una vecchia rimbambita. E adesso che ti ho raccontato perché andavo alle manifestazioni, penserai che sono scemo forte.

Mia madre è eco come te, ma lei, è per la malattia di Julien che ha iniziato. Ha la fobia dei microbi e dei prodotti tossici. Si fabbrica da sola i detersivi per pulire. Passa ai raggi x la composizione di tutti gli alimenti che compra. Niente entra in casa senza l'autorizzazione di Yuka. Conosci l'app Yuka? Mangiamo la carne del macellaio una volta a settimana. Non ricordo se ti ho detto che mia mamma fa l'infermiera in prigione. È un lavoro duro, ma a lei piace perché si sente utile, per i prigionieri e per le guardie. La cosa che odia, e dice che non ci si abituerà mai, è l'odore che c'è lì dentro, «di chiuso, di umidità e spugna bagnata, di paura, di rabbia e vendetta». Mi piace il suo modo di parlare. In sala ha piazzato un diffusore di oli essenziali per «dimenticare più velocemente l'odore della prigione». Visto che casa nostra è piccola, si sente in tutto l'appartamento, ma va bene, mi ci sono abituato.

Mi piace molto quello che scrivi sugli animali. Secondo me, un giorno non ci sarà più nessun animale sulla Terra. Niente elefanti, niente leoni, cavallette, cervi, mosche, farfalle… Li avremo fatti fuori tutti. Gli uomini ci saranno ancora. Avremo trovato altro da mangiare. Quelli che avranno fatto in tempo a vedere gli ultimi animali li rimpiangeranno, e i loro figli non capiranno perché. Loro gli animali non li avranno visti. Penseranno che sono superati. I cloni sono uguali, anzi meglio.

Non ho ancora iniziato *Per chi suona la campana*.

Samuel

Tunisi,
12 aprile 2019

Nicolas,

sì, sono questo e basta: uno portato per gli affari che si è arricchito e se l'è goduta comprando macchine troppo care, collezionando orologi e completi Hermès. Non mi sono fatto neanche una domanda in venticinque anni, non mi sono mai chiesto che senso dessi alla mia vita. Ho licenziato centinaia di persone senza il minimo senso di colpa. *Mors tua, vita mea…* avevo degli obiettivi da raggiungere. Poi è successa una cosa strana. Poco prima dei cinquant'anni ho rivenduto gli orologi, poi le macchine. Non per farci soldi, ma perché mi erano d'ingombro. Non mi divertivano più. Ero stufo di accumulare cose. Disgustato. Più me ne sbarazzavo, più mi sentivo leggero e allegro. Fare spazio era la sola cosa che desiderassi. Niente giustificava la mia euforia che, razionalmente parlando, era anzi piuttosto inquietante. «E adesso?» mi sono chiesto, una volta venduto tutto. Adesso, niente. Ero come un pallone che si sgonfia. Mi ero fatto spazio, mi ero alleggerito del fasto, e mi facevo questa domanda: «Cosa faccio del resto della mia vita?».

Sì, se un giorno Boris avrà bisogno di me, spero proprio di esserci. Grazie comunque per quello che mi hai raccontato di tuo padre.

Hai ragione, mi capita di avere reazioni strane. È complicato da spiegare quello che provo per i miei figli. Il giorno dopo aver abbracciato Emma ho temuto di essermi reso ridicolo ai suoi occhi.

Faceva un tempo da lupi a Chicago. Le mie conferenze sono andate bene, ma non ho trovato nemmeno un istante per andare al museo.

Non ho detto a mia figlia che mi sono iscritto a un laboratorio di scrittura. Non ci ho pensato. Non sono sicuro di volere che lo sappia.

Jean

P.S. Non vedo l'ora di assaggiare il tuo jene-sais-quoi. Adoro i ricci di mare.

Nicolas a Jean

Parigi, 20 aprile
(Allego dialogo)

Ciao Jean,
non so se ti rendi conto che il ritratto che fai di te è mostruoso. Di tipi come dici di essere tu ne conosco qualcuno, e non li sopporto. Sono quelli che ostentano la grana, che si accaparrano i dividendi e se ne fregano della gente che lasciano a spasso. E nonostante tutto, mi stai simpatico. Non riesco a convincermi che sei uno di loro. Dici che è perché sei un uomo onesto che ti stai mettendo in discussione? Hai

tutto il diritto di non sorbirti le mie grandi
teorie e i miei giudizi, tanto più che la mia
cucina non è esattamente popolare e a buon mercato. Dentro la mia coscienza, la parte buona e
quella cattiva fanno a cazzotti. A mia discolpa
ti dico che sul menu i miei prezzi sono onestis-
simi. Dopo che ho pagato la brigata, i prodotti,
l'affitto, vivo bene ma non al punto di smettere
di lavorare.

Dialogo quotidiano tra la mia cattiva coscienza e me:

— Allora, Nicolas, non stai esagerando un po'
con i tuoi antipasti a botte di 60 euro?

— Ma ci sono i ricci di mare, sono cari i ricci di mare.

— C'è UN riccio di mare!

— Sì, ma col caviale…

— Falla finita, le uova sono contate.

— Non ho scelta. A 55 euro non ne tiro fuori
niente. E poi, è davvero delizioso…

— Devo forse ricordarti quanto facevi pagare
le tue coquillettes al prosciutto rivisitate al
tartufo bianco? È il prezzo che hai rivisitato,
quello sì.

— Mi stai rompendo le palle.

— Se lo scopre tuo padre… Ma visto che hai
ragione tu, perché non lo inviti uno di questi
giorni e non gli dai un bel menu, stavolta quello coi prezzi però…

— Non c'è un posto in tutta Parigi con un
rapporto qualità prezzo migliore del mio menu a
pranzo.

— È vero, ma chi ci viene? Gli uomini d'affari. Ti ricordi del tuo progetto di un ristorante per far lavorare i disabili?

— Appena posso mi ci rimetto.

— Staremo a vedere…

Ci si becca,

Nicolas

DIALOGHI

Jeanne a Juliette

Verjus-sur-Saône,
6 aprile

Cara Juliette,
c'è anche il mio dialogo.

Quindi ci è voluta tua figlia perché la tua nascita ti tornasse indietro dritta in faccia, come un boomerang. Avresti potuto vivere la gravidanza e la nascita della piccola come se niente fosse, continuando a occultare il tuo passato. È questo che sarebbe stato strano e inquietante, per l'avvenire di entrambe. Non credi? Nella tua depressione c'è come un effetto a specchio tra due madri, la tua e quella che sei diventata, e tra due figlie, tu e Adèle. Per Adèle hai infranto questo specchio. Non sono una psicologa, ovvio, mi limito a scriverti un presentimento, un'emozione.

Mi piace il tuo Nicolas. Quando vedo i miei vicini rientrare dal supermercato con il bagagliaio pieno zeppo di cibo spazzatura, mi arrabbio anche io. L'indignazione ha la meglio. Immagina: in paese abbiamo un forno buonissimo gestito da una coppia molto simpatica, ma tanti miei concittadini preferiscono comprare il pane industriale della grande distribuzione. Un giorno ho visto la mia vicina Nathalie portare dentro la spesa, così sono uscita di casa e mi sono offerta di aiutarla. Un pretesto per attaccare bottone. Dato che andava di fretta e aveva comprato come se si stesse preparando alla terza guerra mondiale ha accettato. Mentre dalla macchina spuntavano le bistecche sottovuoto e i nuggets di pollo ho digrignato i denti. Per le uova però aveva fatto un piccolo sforzo, così ho iniziato da lì.

— Non conosco questa marca, polli allevati all'aria aperta, bio... Poi dimmi come sono.

— Ah, sì, con le uova bisogna stare attenti. Ho visto delle foto di polli in batteria, è proprio disgustoso. Ma tu lo sai meglio di me. Non ti dico quanta gente c'era al supermercato, guarda, sembrava un'invasione!

— Che carine queste tovagliette di carta.

— Sì, hanno un sacco di cose carine. Mi devo trattenere per non comprarle tutte.

— È buono questo pane?

— Mah, è un pane.

— Sai che quello che vendono in paese è proprio buono? Se vuoi te ne prendo un po' quando ci vado.

— Gentile da parte tua, Jeanne, ma vedi, io ne compro tanto e lo congelo per la settimana.

— Te ne darò un pezzo per fare il confronto. E poi, bisogna aiutare i giovani, pensa se il forno dovesse chiudere i battenti!

— Hai ragione, ogni volta mi dico che lo prendo quando torno, solo che magari non passo dal paese e ho paura di dimenticarmelo, e al super faccio prima. Smettila di guardare così il prosciutto! Da quando hai portato Sacha a vedere i tuoi maiali non lo mangia più. Sarai contenta, visto che ne compro di meno. Adesso gli prendo le bistecche.

— Vorrà dire che gli presenterò le mie mucche…

— Dai, Jeanne, ha bisogno di calcio. Me lo farai diventare un veggie-vegan o un flexitariano o come si dice… Cosa dovremmo fare, metterci a mangiare insetti e semi?

— Tra l'altro, gli insetti potrebbero sparire tra cento anni…

Mi sarei messa a gridare. Che rabbia! Oh mio Dio! Sono andata in giardino a cercare conforto nei miei animali.

Jeanne

P.S. Cara Juliette, mi piace come scrivi. Non avevo notato i tuoi problemi con i connettivi. Esther, invece, nota tutti i nostri piccoli difetti.

Malakoff,
19 aprile 2019

Cara Jeanne,
nella lettera: il mio dialogo.

I dialoghi di Esther funzionano. Ho sorriso
mentre leggevo il tuo. Sono felice di sapere
che difendi il forno del tuo paese. Purtroppo
i francesi consumano sempre meno pane. Ormai
da tempo ha perso la reputazione che aveva una
volta. Troppi fornai vendono dei pani cattivi. È
diventato il diavolo che fa ingrassare. Per non
parlare dell'intolleranza al glutine che sembra
aver colpito metà della popolazione. Forse i
francesi hanno perso il gusto e quindi comprano
il pane al supermercato, ignorandone le qualità sensoriali? Noi fornai siamo pieni di pane
integrale. Le donne che fanno attenzione alla
linea credono ciecamente in lui. È vero che è
nutriente, si conserva meglio e attiva, parreb-
be, la digestione. Ma (lo dico solo a te) è meno
gustoso del pane rustico o di quello classico.

Non mi avevi detto di avere dei maiali e delle
mucche. Sei vegetariana? Io la carne la mangio
poco, il pesce sì, tanto, e anche le uova. Logico, mi dirai, per la figlia di due pescivendoli.

Con Nicolas stiamo andando avanti. Gli ho
chiesto perché mi ha trattato così male quando
sono tornata a casa. Non sapeva più cosa pensare

di me, aveva paura delle mie reazioni. Così mi ha risposto. Era esausto; se avesse potuto sarebbe andato via per un po', mi avrebbe lasciata sola con Adèle. Le sue parole mi hanno terribilmente rattristato. Sono dure da mandare giù, ma mi sono messa al suo posto. Penso che avrei reagito allo stesso modo. La scrittura mi aiuta molto. Mi obbliga a riflettere prima di rispondere. Se, al posto di scrivermelo, me l'avesse detto in faccia, sarei andata nel panico, avrei trasformato le sue frasi, deciso che non sapeva se mi amava ancora e che era meglio prendere strade separate.

Stanotte ho sognato i miei genitori. Mi sono svegliata piangendo. Mi sentivo soffocare, come nei giorni peggiori della mia depressione. Non li ho più rivisti dopo il parto. Adèle aveva un giorno. Era estremamente doloroso vederli belli beati davanti alla loro nipotina, mentre io ero scioccata da quello che mi succedeva e non provavo niente. La loro presenza mi riportava alla mia nascita, alla mia adozione. Senza volerlo, mi stavano facendo del male. Non ero in grado di distinguere le due cose, volevo solo che se ne andassero.

Aspetto di essere pronta per scrivergli. Prima del laboratorio non avrei mai pensato a una lettera. Tuttavia, quale modo migliore per spiegargli cosa mi è successo? Sono così fragile che ho difficoltà a trovare le parole e a frenare le emozioni. Voglio che sappiano quanto li amo e quanto gli sono riconoscente.

I miei genitori avevano una pescheria a Trouville. Lavoravano sodo. Infilare le mani nel ghiaccio alle sei del mattino mentre fuori si gela non è divertente. Io gli dicevo: «Sono Juliette, il termosifone più caldo del mondo», e loro lasciavano tutto, coltelli, pesci, cannaio... Prendevo le loro mani congelate tra le mie e soffiavo forte. «Oh, adesso va molto meglio, abbiamo le mani caldissime», mi rispondevano ridendo. Si prestavano al mio gioco con gioia, mimando stupore, come se quello che facevo con la bocca fosse straordinario. Nemmeno una volta mi hanno respinta, o magari detto: «Aspetta un attimo, c'è un sacco di gente» oppure «Dopo Juliette, ora abbiamo fretta». Toccava ai clienti aspettare. Dopo la scuola mi sistemavo in fondo al negozio per leggere e fare i compiti. La domenica pomeriggio, con mio padre andavamo in barca. Non pescavamo, navigavamo, per vedere il mare e chiacchierare.

— Vedi, mia Juju, l'orizzonte è tuo. Io e tua madre siamo qui per questo, per regalarti l'orizzonte e un bell'avvenire.

— Cos'è un bell'avvenire?

— Quando sarai grande, è fare un bel lavoro e vivere in un posto che ti piace.

— E tu, ce l'hai un bell'avvenire?

— Il mio è splendido perché ci siete tu e la mamma. Prima, senza di te, l'orizzonte non aveva gli stessi colori. Ora stiamo bene, giusto?

— Sì. E che lavoro farò?

— Quello che vuoi. Hai tutto il tempo per pensarci.

— Quello che voglio?

— Sì.

— Maestra?

— Sì, perché no.

— Pescivendola?

— Anche.

— Veterinaria?

— Sì.

— Astronauta?

— Sì. Ma attenzione, per riuscirci dovrai farti un mazzo tanto, niente ti cade dal cielo. Non ripetere a tua madre quello che ti ho detto!

Le nostre conversazioni finivano sempre così. Io gli elencavo dei lavori e ogni volta lo sentivo sentenziare: «Dovrai farti un mazzo tanto» che mi faceva scoppiare a ridere. Mi mancano i miei genitori.

Un abbraccio,

Juliette

P.S. Scusa se ci ho messo di nuovo tanto a risponderti. Mi mancava l'ispirazione per il dialogo, e poi, eureka!

Jeanne a Samuel

Verjus-sur-Saône,
10 aprile 2019

Caro Samuel,

(in questa lettera, troverai il mio dialogo) tua madre deve essere una bella persona. Non

avrei saputo stare ogni giorno come lei accanto
alla disperazione, la rabbia, probabilmente anche la violenza. Sono coraggiosa con gli animali, meno con le persone.

Sì, conosco Yuka. È un'applicazione molto
utile, ma spesso dimentico di usarla.

Non vedo perché non dovresti avere il diritto
di pensare e dire che Ben è come tuo fratello.
Lo era, suppongo, prima della morte di Julien.
È cambiato qualcosa tra te e il tuo amico, dopo?
No, Samuel, non stai tradendo Julien.

Spero che tu sia attento nelle manifestazioni. Ci sono anche un sacco di idioti che ci
vanno solo per fare casino. Non mi piacerebbe se
partecipassi alle sfilate contro il matrimonio
egualitario o contro la fecondazione assistita.
Ma non mi sembri il tipo.

Ieri sono andata a passeggiare con Sacha, il
figlio dei miei vicini. Ha dieci anni. I genitori sono gentili, ma non proprio delle cime.
Lui, invece, è molto intelligente. Speriamo che
non si rovini. Ti trascrivo il nostro dialogo.

— Sai che non mangio più prosciutto, Jeanne?

— Sì, tua madre me l'ha detto. Non è proprio
tanto contenta. Dice che è successo dopo che hai
fatto amicizia con Alfred e Robert.

— Ma certo, è vero. Mi vedi mentre me li mangio?

— No, chiaro. E con cosa lo hai sostituito?

— Niente di che.

— Ah, ok. Non mangi più nemmeno gli hamburger?

— Penso di no. Tu sei contraria? Li mangi, tu?

Era piovuto di notte. Io aggiravo le pozzanghere, lui si divertiva a saltarci dentro.

— Ognuno fa come vuole, Sacha, ma io non ne mangio. Sai da quale animale viene l'hamburger?

— Be', sì, dalla mucca.

— Esatto.

Mi trattenevo dal prendergli la mano e portarlo nei miei campi per fargli conoscere le mie mucche. Mi immaginavo già dirgli: «Dai, accarezzale, guarda che occhioni dolci… E aspetta, non hai visto tutto! Se mi metto così, tra loro… ecco… aspetta… eccole, vedi, appoggiano la testa sulle mie spalle». Poi sarebbe rincasato e avrebbe informato la madre che non avrebbe mai più mangiato carne, e io avrei potuto dire addio alle nostre passeggiate insieme.

— Lo sai cosa faccio questo pomeriggio con mia mamma?

— No, dimmelo tu. Per caso hai i piedi bagnati?

— No. Faccio i biglietti d'invito per il mio compleanno. Saremo undici o dodici.

— È vero, è la settimana prossima!

— Pensi che un giorno potrò accarezzarlo, il tuo Chocolat?

— Spero proprio di sì. Ti piace?

— Oh, sì. Ha l'aria così dolce. Mamma vuole che invito Brice. A me non piace. Mi sta antipatico. Lo invitiamo a tutti i compleanni solo perché i genitori ci obbligano.

— Brice, il ragazzo sulla carrozzina?

— Sì.

– È giusto che ci sia. Non deve essere facile per lui...

– Sei come gli altri grandi. Bisogna invitarlo perché è handicappato. Ma lui non è mai gentile con nessuno.

– Forse è geloso e triste perché non può camminare e correre come fate voi.

– Ecco che dici di nuovo la stessa cosa che dicono i grandi.

Ho riso. Era orribile, ma lo capivo. Con la sua aria imbronciata, Brice non suscita simpatia. È difficile strappargli un sorriso, un saluto o un grazie. In quel momento mi sono ricordata di quando l'anno prima – o forse erano due? – avevo proposto a Brice di venire a vedere i miei animali. Non gli avevo più fatto sapere niente. Me l'ero dimenticato.

– Dagli un'ultima possibilità. Una vera, però. Invitalo e coinvolgilo nei vostri giochi, quelli a cui anche lui può giocare. Se non sei pronto a farlo, non vale la pena invitarlo in effetti. Non lo sto difendendo, ma sono sicura che non gli parlate nemmeno e lo lasciate in un angolo. Mi sbaglio?

– Appena arriva chiede di mettergli dei giochi sulla tele e poi non lo puoi più disturbare.

– Allora fai finta che l'invito venga davvero da te e non dai tuoi genitori. Forse per lui non sarà lo stesso e lo capirà. Secondo me vale la pena provare.

Prima di tornare ci siamo fermati al forno. Gli ho comprato un pain au chocolat e una ba-

guette per i genitori. Abbiamo camminato più
lentamente, ci è passata davanti una lepre, poi
un'altra. Non mi ha più accennato a Brice, non
mi ha detto cosa pensava della mia idea. Se ne
stava in silenzio, pensieroso. «Cosa devo fare
perché Chocolat si lasci accarezzare?»

Ecco perché mi piace questo ragazzino. Per
la testardaggine, la franchezza, gli sforzi che
è pronto a fare per raggiungere i suoi scopi.
«Devi essere paziente. Solo questo. Puoi raccon-
targli delle cose. Tutto quello che vuoi. Anche
cantargli delle canzoni. Si abituerà a te a poco
a poco.»

Davanti a casa mi ha dato un bacio e mi ha
detto: «Questo però non autorizza Brice a com-
portarsi come si comporta».

Jeanne

Samuel a Jeanne

14 aprile

In questa lettera c'è il mio dialogo.

Ciao Jeanne,
non so se è tanto giusto farlo per il mio dialogo, ma ti ricopio una conversazione tra me,
Ben e Lou sul *Trono di Spade*. A ogni modo, non ho
altre idee. Lou è un'amica. Lei guarda la serie
con i genitori. Mi chiedo se capirai quello che
ci diciamo.

Samuel: Lol sondaggio su Reddit ora chiedono chi è l'MVP della battaglia

Ben: Quando hai i risultati, dicci

Samuel: Yes

Samuel: Mah

Samuel: I due draghi e Ghost sono ancora vivi pare

Ben: Già, un po' una boiata di episodio

Lou: ???

Lou: Ghost sì ma il drago di Jon?

Lou: Come si chiama?

Lou: Viserion?

Lou: Not dead?

Ben: Rhaegar

Ben: Bah no, pare che sono vivi!

Lou: Sì, ma troppo strano

Lou: Eppure l'hanno ucciso...

Ho iniziato *Per chi suona la campana*. Non è facile, ma vado avanti. Non è che abbia molta scelta. Se non avessi deciso di leggere tutti i libri di mio fratello, questo lo avrei mollato. Faccio fatica a capirci qualcosa tra comunisti, repubblicani, falangisti, fascisti, brigate, il Poum, ma m'informo su internet. Ci sono scene molto dure nel romanzo, dove vorresti che le cose andassero in un altro modo. Insostenibile, ecco la parola giusta. Non credevo che l'avrei mai usata per un libro. Con un film mi era già capitato. Il massacro dei fascisti nel Paese di Pablo, te lo ricordi? Atroce! Sono chiusi dentro il municipio ed escono, uno dopo l'altro. Gli abitanti li aspettano. Hanno forconi e bastoni e formano una barriera fino all'orlo della rupe, da dove i prigionieri devono lanciarsi giù, nel fiume. Più le ore passano più i cittadini si inebriano. E la situazione si fa sempre più tesa… si trasforma in un macello, con la gente che grida insulti, porcherie…

I miei genitori non sanno che sto leggendo. Mi chiudo in camera. Non voglio che mi vedano. Non so cosa penserebbero se sapessero che leggo i libri di Julien. Forse che lo sto imitando. Mi farebbe innervosire se pensassero una cosa così.

Samuel

Nicolas a Juliette

Parigi,
11 aprile 2019

Mia Juliette,

stai meglio! Non voglio sentire «sì, ma non è sicuro che…», non fare storie, salta agli occhi (modo di dire, eh): scoppi a ridere con tua figlia, ti godi una brioche con le praline e ti ispira un nuovo dolce (attraverso non so quale percorso nella tua testa). Ti immagino mentre studi la brioche di Pralus, la annusi, la mastichi lentamente, mentre fai passare dei pezzettini tra la lingua e il palato.

Ti credevo solida come una roccia, esente da ogni forma di malinconia. Mi sono sbagliato.

Adesso, guardandoti, non dirò più a me stesso che vorrei essere come la donna che ho di fronte, così forte, così entusiasta. Non sei così forte. Non sei così allegra. O meglio, non sei solamente questo. Mi piace questa vulnerabilità nuova che non ha niente di nuovo, che è dentro di te dal primo giorno.

Il mio elogio dell'insapore sarà un «astice blu con mandorle, carciofi grigliati, e scorza di yuzu confit». Avrà la forma di una goccia d'acqua, lavorata con il bianco d'uovo. Miro a un crescendo di sapori, lo yuzu e il suo profumo potente si nasconderanno al centro della goccia, per l'ultimo morso. Aggiungerò questi versi di Lao Tzu sul menu:

Il salato e l'acido sono, l'uno e l'altro, in tutto quello che ci può piacere,

Ma è al centro che risiede il sapore supremo — che non finisce mai.

Il progetto del mulino mi piace. Hai già lavorato con Alex e Joël, ci sono pochi rischi che litighiate. Quando avrai tutti i documenti chiama Armand. Ti dirà se l'affare è valido.

Sono andato a Bourg con Adèle per il compleanno di mio padre. Avrei voluto che li vedessi insieme. Che spettacolo! Gli ho detto: «Sai papà, è la prima volta che Adèle è così affettuosa con qualcuno, non smette di guardarti». Ho notato che le mie parole lo lusingavano. Ma non l'avrebbe confessato per niente al mondo. Mio padre è un orso, lo sai. Orgoglioso ma molto gentile. Ha alzato le spalle e ha mormorato: «Io non sono qualcuno, sono suo nonno». Hanno avuto un colpo di fulmine, suppongo. C'era qualcosa tra loro da cui io e mia madre eravamo esclusi. Ero piuttosto geloso. Sul volto di mio padre leggevo stupore e felicità insieme. Se al posto di scrivertela te l'avessi raccontata a voce, mi avresti risposto che esageravo. Ti giuro, no. Adèle era seduta sulle sue ginocchia, faccia a faccia, gli toccava le sopracciglia, il naso, le guance, la bocca, gli faceva dei sorrisoni. Poi si è mezza alzata, ha appoggiato la testolina sulla spalla di mio padre e non si è più mossa. Un momento di grazia...

Mia madre non credeva ai suoi occhi. Lei che da tre mesi si occupa di sua nipote dalla mattina alla sera non ha mai ricevuto una manifestazione di tenerezza simile. Mentre se la rideva ha detto:

— Ma guardala lì, la smorfiosetta!

— Tua figlia ha già capito tutto, ha detto mio padre trionfante.

— Cosa vuoi dire?

— Ti ricordi com'ero con voi quando eravate piccoli?

— Ehm, no... come?

— Non ve ne lasciavo passare una, a te e a tua sorella. Dovevate rigare dritto.

— Ah, questo. Sì, me lo ricordo bene.

— Ecco, ti avverto, a tua figlia gliele darò tutte vinte, che a te e Juliette piaccia o no. I nonni servono a questo, a lasciar fare ai nipoti tutto quello che vogliono.

Quanto mi sarebbe piaciuto che ci fossi anche tu, mi sono chiesto cosa avresti risposto. Io e Adèle ti aspettiamo. Non metterci tanto.

N.

P.S. Non voglio sparire in una nuvola di nebbia quando sei nuda davanti a me. È fuori discussione.

Juliette a Nicolas

Malakoff,
15 aprile 2019

Nicolas,

se dovessi tornare all'inizio del mio crollo e descriverlo con qualche parola, ecco cosa scriverei: quando ho visto Adèle, e l'ho presa tra le braccia per la primissima volta, sono stata sommersa, risucchiata da una domanda: come ha fatto mia madre ad abbandonarmi?

In ogni stagione della mia vita mi è capitato di chiedermi perché abbia rinunciato a me. Curiosità, niente di più. Pensavo alla mia madre biologica con distacco, come se non avessi granché a che fare con lei. Non mi dicevo «perché mia madre mi ha abbandonata?» ma «perché quella donna mi ha abbandonata?», quell'estranea. Cosa ne potevo sapere? È dovuta nascere Adèle perché mi chiedessi «come ha fatto?». La donna che mi ha dato alla luce si è infilata tra me e mia figlia. Mi ha portata dentro per nove mesi, ha sentito il mio primo vagito, forse mi ha guardata, tenuta in braccio, baciata. Ecco, allora: come è riuscita ad abbandonarmi? Come ha potuto non lasciarmi niente di suo?

Oggi non si intromette più tra me e Adèle.

Sono sulla via della guarigione.

La settimana scorsa, il medico mi ha suggerito di portare Adèle ai giardinetti vicino casa invece che in maternologia. Ritiene che non ho più bisogno di loro e che il momento del bilancio conclusivo è vicino. Dato che l'altro ieri era bel tempo, siamo andate al parchetto di square Jean-Aicard. Non ho detto niente a tua madre. Ero tesa. Sono abituata a incrociare madri che hanno superato la depressione post-partum e che con i loro figli sono un po', come dire… particolari? Probabilmente più preoccupate, meno spontanee, sulla difensiva. È andato tutto bene, anche se sentivo che non ero a mio agio con Adèle come le altre mamme con i propri figli. Per loro tutto sembra avvenire in maniera spontanea, innata. Io e Adèle ci stiamo conoscendo, dieci mesi dopo. Lo accetto (mi tocca), devo convincermi che le mie assenze non pregiudicheranno il nostro futuro legame. Quando mi guarda sorridendo, mi sento una cosa sola con lei. Le leggo negli occhi che mi perdona, che mi vuole bene. Ondate di tenerezza mi riempiono di felicità sempre più spesso. Sei contento, amore mio, di quello che mi succede?

Con affetto, baci,

Juliette

P.S. Sono certa che il tuo elogio dell'insapore sarà un successo, ma attento a non «intellettualizzare» troppo i tuoi piatti.

Jean a Esther

Parigi,
16 aprile 2019

Cara Esther,
conversazione al giardino delle Tuileries:
Domenica scorsa, attimo di follia, sono andato alla ricerca del tipo con il bassotto. L'ho aspettato sulla panchina dove ha l'abitudine di fare una sosta, vicino alla galleria del Jeu de Paume. L'ho visto arrivare da lontano. Si è seduto accanto a me. Dal balcone sembrava più giovane, più magro e più arzillo. È sulla settantina.

— Salve, scusi il disturbo… Lei è l'uomo che tutte le mattine vedo passeggiare dal balcone con il cane verso le sette? Abito lì, vede?, le finestre del quinto piano con le tende vinaccia.

— Sì, sono io, a meno che qualcun altro non porti a passeggio un bassotto a quell'ora del mattino. È possibile, è un cane piuttosto comune.

Mi sono reso conto che, estate o inverno, portava lo stesso impermeabile beige. Seduto a neanche mezzo metro da lui, non ho potuto fare a meno di notare che era sfilacciato ai polsi e non esattamente pulitissimo. Mi sono subito detto: «Che cretino! Parlo a un clochard e gli faccio pure vedere dove vivo». Dato che quell'uomo era un habitué della zona, non mi era venuto in mente che potesse essere un poveraccio.

— Come si chiama, questo bel cagnolino?

— È una cagnolina. Si chiama Bélinda.

— Quanti anni ha?

— Otto. Anche lei ha un cane?

— No. Mi piacciono molto, ma sto poco a casa, viaggio spesso, non saprei come gestirlo.

— È fortunato a vedere tanti posti. Io conosco ogni angolo della Francia, ma l'estero poco e niente. Forse l'estate prossima con mia moglie andremo alle Canarie.

— Abita qui?

— Sì, rue de Castiglione.

Mi ha lanciato uno sguardo divertito. Poi è rimasto zitto. Ero rassicurato.

— Allora siamo vicini di casa.

— Sì, ha ragione, siamo vicini. Ma io, mia moglie e Bélinda abitiamo nelle camere di servizio al settimo piano.

Sono rimasto inebetito. Che razza di sfortuna, mi dicevo, per una volta che parlo con uno sconosciuto del quartiere, becco un poveraccio che tira a campare.

— Non volevo metterla a disagio. Non c'è motivo di fare quella faccia, lei non c'entra niente. È che ha detto «vicini» come se appartenessimo allo stesso mondo. Noi stiamo bene nella nostra mansardina. Ci siamo abituati. E poi, ci sono le Tuileries per Bélinda. Certo, hanno tutti un manico di scopa nel culo in questo quartiere, ma non ci facciamo più caso.

Ho sorriso.

— Perché guarda le persone dal balcone? Da lì la vista deve essere unica, no? Io posso solo immaginarlo, noi vediamo solo uno spicchio di cielo dalle nostre finestre ed è già magnifica.

— Mi calma. In qualche modo, accompagno le persone che passeggiano. Lei è in pensione?

— Per così dire. Ho smesso di lavorare, ma non prendo molto. E lei, di cosa si occupa?

— Affari.

— Affari? Che strano, ho notato che ci sono due categorie di persone che rispondono «affari». Quelli che non amano il proprio lavoro e non vogliono parlarne, e gli imbroglioni. Lei a quale appartiene?

Ho sorriso di nuovo. Era simpatico l'uomo col bassotto.

— Ben detto. Non sono un imbroglione. E lei, cosa faceva prima della pensione?

— Ero clown e divertente.

— Clown? Questo sì che è divertente.

— L'ho appena detto, ero clown e divertente.

Stavolta mi sono proprio messo a ridere.

— Ho iniziato molto giovane. Mi piaceva far ridere i bimbi. Mi ha preso da ragazzo, questa voglia. Anche oggi, con la mia misera pensione, non me ne pento. Ero l'Augusto, quello col naso rosso, le scarpe grandi, la salopette di tutti i colori, ha presente? Con il mio partner, che faceva il clown Bianco, avevamo un repertorio classico, giochi d'acqua, ceffoni, tromba stonata... Era un continuo di imprevisti e capriole, ero il re della gaffe, mandavo al tappeto il mio collega senza nemmeno farlo apposta. Avevo un rastrello sulle spalle, mi voltavo di colpo e bang!, lo centravo in pieno petto. Oppure, mentre volevo aggiustare una tubatura, plof!, lo bagnavo dalla testa ai piedi senza rendermene conto perché ero concentrato sulla mia riparazione... Insomma, tutti quei numeri che fanno ridere a crepapelle i bambini, generazione dopo generazione.

— È da molto che ha smesso?

— Avevo sessantun anni. Mia moglie si è ammalata, ho smesso per occuparmi di lei. Adesso è guarita. A ogni modo, ero già stanco, era diventato faticoso. Avevo cinquant'anni quando l'ho conosciuta. Non era una del circo, faceva la domestica in questo quartiere. Da anni lavora a casa di un'italiana che è spesso via e l'ha presa in amicizia, così ci fa stare nella sua mansarda. Sono nove anni ormai. Mia moglie continua a lavorare, prepara l'appartamento se la signora Ada o qualcuno della sua famiglia deve venire a Parigi, e io ogni sera controllo che sia tutto ok. Così mia moglie è tranquilla. Lei è sposato, ha figli?

— Sono divorziato e i miei figli sono grandi.

— Ah, ok, non fa bene stare soli, non fa bene al morale. È stato bello chiacchierare un po' con lei, signor uomo d'affari, ma adesso devo tornare a casa, altrimenti c'è una persona che inizia a preoccuparsi.

— È stato un piacere conoscerla. Spero ci rincontreremo.

Ci siamo sorrisi, non ci siamo dati la mano. Emanava gentilezza. L'ho guardato andare via con il cane al guinzaglio. Quando mi sono reso conto di non avergli chiesto come si chiamava, era troppo tardi per raggiungerlo. Un clown, avevo conosciuto un clown che abita a rue de Castiglione.

Ti è piaciuta la mia storia, Esther?

Secondo te, è vera o inventata?

Jean

Esther a Jean

Lille,
20 aprile 2019

Caro Jean,

(non) dialogo madre-figlia.

Ho creduto alla tua storia del clown dalla prima all'ultima parola. Hai un vero talento da narratore. È vera o inventata? Dimmelo tu.

Stamattina, con mia figlia, l'atmosfera a colazione era, come dire… elettrica. Questa settimana ha dei test, non ha ripassato e si sfoga con me. Ci sono abituata. Dato che anch'io ti devo un dialogo, ti infliggo la nostra conversazione.

— Ehi mamy.

— Buongiorno tesoro, dormito bene? Vuoi un po' di succo di pompelmo?

— Ho avuto gli incubi, ho sognato che facevo i test, orribile. È pompelmo bianco? Sai che il rosa non mi piace tanto.

— Se tu avessi ripassato un pochino, Pia, avresti dormito meglio, no? Gli incubi, almeno, provano che non sei totalmente incosciente. Il pompelmo bianco non lo trovo mai, nemmeno al supermercato accanto al forno. Tieni, prendi un po' di pane.

— Mi stai dicendo che per te è normale che abbia gli incubi? No, grazie, troppo tostato.

— Certo che no. Per me sarebbe normale che tu ripassassi, è diverso. Ma sono sicura che andrà bene. Ti lascio la mia fetta, allora, è come piace a te.

— Ma no, c'è del nero di bruciato. Me ne faccio una io. Devo chiedere a Nina dove compra il pompelmo sua mamma.

— A proposito di nero, vedo che ci sei andata pesante con il mascara…

— Mamma, non cominciare! Ho sognato che a matematica mi davano un compito diverso dagli altri e che passavo l'ora a chiedermi perché. Consegnavo in bianco e la prof Gervais mi diceva: «Ah, bene, ci metterò poco a correggere questo compito!». Il burro ha uno strano odore, senti qui.

— No, non mi pare.

— Ti dico di sì.

— Strano odore tipo?

— Di rancido.

— L'ho comprato la settimana scorsa. Scade il 10 maggio, c'è ancora tempo.

— Sì, ma possono pure sbagliarsi. Ecco la prova.

— Senti, che ne dici di andare in Croazia quest'estate? Sarebbe carino, no? Mathilde ci è stata l'anno scorso e si è divertita tanto. Ha affittato una casetta su un'isola di fronte a Spalato e...

— Se proprio vuoi, anche se io preferirei un posto raggiungibile in treno. Per il pianeta, bisognerebbe prendere l'aereo una volta l'anno massimo, e per quest'anno l'abbiamo già preso. Ti spiego: per ogni chilometro, un passeggero in aereo corrisponde a 285 grammi di CO_2, in treno invece a 14 grammi, ed è lo stesso per...

— Va bene, vedremo, Pia. Devo uscire, sparecchi tu? Ti voglio bene.

— Anch'io.

Certe mattine sono particolarmente felice di andare al lavoro.

Esther

P.S. Se un giorno dovessi incontrare mia figlia, evita di dirle che prendi l'aereo duecento volte l'anno. Non si sa mai, sarebbe capace di mettere del veleno nel tuo bicchiere.

<u>Jean a Nicolas</u>

Parigi,
24 aprile 2019

Ciao Nicolas,
(c'è anche il mio dialogo) grazie per «i tipi
come te non li sopporto». Decisamente, tra te ed
Esther, ho bisogno di chiamare il mio avvocato.
Eppure, sto simpatico a entrambi. È curioso.
Mi chiedo che fine abbia fatto la mia coscienza sporca. È sparita da anni.
Ieri ho litigato al telefono con mia madre.
Alla nostra età è stupido. Lei ha più di ot-
tant'anni, dovrebbe essere caduto tutto in pre-
scrizione. Per darti un po' di contesto, ecco
un ritratto lapidario dei miei genitori. Mia
madre è una borghese capricciosa, mio padre
un debole, che gliele dà tutte vinte. Le dice
sempre: «Facciamo tutto come vuoi tu, tesoro».
Insomma, ieri mi ha chiamato per informarmi che
avevano messo in vendita la casa di Honfleur.
La cosa mi ha fatto arrabbiare. Mia madre adora comprare seconde case, andarci ad abitare e
dopo un po' rivenderle. Con lei, a questo mondo
tutto passa. Suo marito s'incarica della parte
amministrativa, del trasloco, delle scartof-
fie, del notaio, dell'agenzia immobiliare… La
casa di Honfleur era funzionale, tutta su un
piano, con dei vicini nei paraggi, all'apparen-
za, pure simpatici. Speravo fosse l'ultima. Per
mio padre soprattutto, che apprezza la campagna

e ha difficoltà a salire e scendere le scale, era perfetta.

— Ho visto un appartamento a Nizza molto bello.

— Ma a papà piace Honfleur.

— Ma lo sai che tuo padre dove lo metti sta.

— Mamma, sembra che parli di un vaso di fiori. Sai che è molto legato a quella casa.

— Tuo padre è un uomo adulto, e non ha bisogno del figlio per dire quello che vuole. Tra l'altro, in questa casa tu non ci hai mai messo piede.

— E che c'entra? Non ho bisogno di venirci per sapere che lui si trova bene. Ti ricordo che non troppo tempo fa anche per te era «favoloooosa». Ovviamente, tu hai deciso e lui non si sarà opposto… E quindi chi si occupa del trasloco, della vendita, dei documenti? Sempre lui! O stavolta ci pensi tu?

— Ehi, ti ha morso la tarantola, oggi? C'è qualcosa che non va, Jean? Vorrei che mi parlassi con un po' più di rispetto, per favore, e che…

Urlavo nella hall del JFK mentre camminavo a tutta velocità. Non avrei dovuto imitare il suo tono snob, è stato meschino. Avevo le mani sudate. Il personale di sicurezza e i passeggeri mi guardavano di traverso, me ne fregavo.

— Guarda che si annoierà a Nizza. Non gli piace. Ma a questo non ci pensi. Per una volta nella tua vita, solo una, puoi fare tu qualcosa per lui e tenere Honfleur? O è al di sopra delle tue capacità?

— So meglio di te di cosa ha bisogno tuo padre. E vorrei…

— Tu vorresti… Per una volta me ne frego di quello che vorresti tu. Vuoi infliggere a papà un nuovo trasloco, è quantomeno folle, non trovi?

Sentivo il cuore battermi nelle orecchie. Se non mi calmavo in fretta mi sarebbe venuto un attacco di tachicardia. Provavo una voglia matta di infierire, di dirle tutto il male che pensavo di lei. Ero in fiamme, mi stava esplodendo la testa.

— Se posso finire una frase, vorrei che mi parlassi in modo più gentile. Anche io, come tuo padre, sono vecchia e…

— Sai qual è stata la stronzata più grande della mia vita? Aspettare tutto questo tempo per chiederti di smetterla di comportarti come una bambina capricciosa e…

Mia madre ha avuto la buona idea di riattaccare. Stavo per dirle quanto è stupida e vanitosa.

Jean

Nicolas a Jean

Parigi,
28 aprile 2019

Ciao Jean,
monologo parigino.

Ho sempre parlato molto da solo. Mi serve come sfogo. Difficile non farsi prendere dai nervi se ti sposti su due ruote in questa città. Ogni volta che arrivo a destinazione sono contento di esserci arrivato sano e salvo.

Dai, iniziamo con la grande traversata di Parigi.

Ma che scusa e scusa. Non mi hai visto perché stai con gli occhi sul telefonino. Stavi per ammazzarmi con il tuo SUV del cazzo. Filo via prima di spaccarti lo specchietto e tirarti un pugno su quella tua faccia di merda, se solo ti azzardi ad abbassare il finestrino per insultarmi. Ricordo che quando Fred è andato a vivere nella periferia di Bruxelles, gli ho detto: sei mesi e tornerai a Parigi. Ma perché questo non tiene la destra? Avevo torto. Sono tre anni. Se ne sta tranquillo, laggiù, in mezzo alla calma, con i suoi alberelli e le api. Non ci credo, ci è rimasto, proprio lui! Ci mancavano giusto i lavori stradali. Da dove passo ora? È andato un po' più a nord, Fred, ma adesso capisco quello che mi diceva quando è partito: «Adoro Parigi, ma non ci posso più vivere. È troppo frenetica. Non riesco a canalizzare le mie energie. Mi sento come in un vortice». Ha ragione, riceviamo impulsi di continuo. E questo qui sul monopattino con la fidanzatina dietro? Complimenti, bella mossa piazzarsi in mezzo all'ingorgo. E lei, signorina, pensa di avere ragione perché è un pedone? Fortuna che qui si va a due all'ora, altrimenti era già diretta al pronto soccorso. Che baldracca, e lo insulta pure. E quest'altro sullo scooter che fa il furbo? Qui si mette male, anche io sono di fretta, che ti credi deficiente? No ma, non ci credo, anche lì bucano la strada! Quello lì davanti, sicuro, sta al telefono mentre guida. Aspetta che ti riprendo, razza di…

Nicolas

ASPETTARE

<u>Nicolas a Juliette</u>

Parigi,
18 aprile 2019

Mia Juliette,

se sono contento che stai meglio? Contento non rende l'idea. È semplice, di colpo è spuntato il sole. Penso solo al tuo ritorno. Ormai è un'ossessione.

Ieri sono andato a trovare Marie. Guardava la tv quando sono arrivato. L'infermiera mi ha accompagnato nella sua nuova stanza, più bella della precedente. È più piccola ma dà sul giardino. Dato che Esther ci chiede un dialogo ti riporto la nostra conversazione senza capo né coda.

— Ciao tata, come stai?

— Prego, si sieda accanto a me, e parli più lentamente. Non ho capito chi è lei.

— Sono Nicolas, tuo nipote, il figlio di Sylvie e Claude. Guarda, ti ho portato dei fiori e i dolci che ti piacciono.

— Ma no. Nicolas è più giovane. A quest'ora lui è a scuola.

Partivamo male. Avevo voglia di abbracciarla e dirle: «Hai ragione, ero più carino da giovane. Chissenefrega dell'età». Poi si è girata per guardare la tv. Era un quiz stupido, non credo che lo seguisse davvero. Nel suo sguardo non leggevo niente, solo il vuoto. C'era bel tempo, così le ho proposto di andare a fare una passeggiata nel parco. «D'accordo.» Il tono era spento. Le ho preso il cappotto nell'armadio, le scarpe da tennis, delle Stan Smith a strappo. L'infermiera mi aveva avvertito che voleva solo quelle scarpe. Forse non riesce più a fare il nodo. Siamo passati davanti alla reception e mi ha detto:

— Non mi piace qui. Per fortuna stasera torno a casa mia.

— Non credo che stasera torni a casa, tata. E poi non è così brutto qui.

— La smetta di chiamarmi tata! E poi so quello che dico.

Ha perso la memoria, è vero, ma ha mantenuto un piccolo lato autoritario. Quando eravamo fuori, mi ha preso il braccio.

— La mamma ti manda un bacio. Verrà a trovarti mercoledì.

Non ha risposto.

— Ti piace la stanza? Hai bisogno di qualcosa?

Silenzio. Poi:

– Sylvie, ah sì, lei mi porta sempre i fiori.

Ero contento che si ricordasse delle visite di sua sorella. Farà piacere a mia madre quando glielo dirò. La testa non c'è più ma fisicamente è ancora un piccolo bolide. Nel parco quasi correva.

– Anche io ti ho portato un mazzo di fiori. Tutto bianco, lo hai visto? So che ti piacciono i fiori bianchi.

– È venuto in macchina, perfetto, così posso tornare a casa con lei.

– Ah no, tata. Sono con lo scooter, non in macchina. Mangerai il mio dolce al cioccolato più tardi? E assaggerai i miei financier?

– Sì. Chi è lei?

– Nicolas, tuo nipote, il figlio di Sylvie e Claude. Di Bourg-en-Bresse.

– Sì, lo so perfettamente che sei Nicolas.

Mi ha dato del tu. È in quel momento che, almeno credo, si è ricordata un po' di me.

– Ho avuto una figlia. Si chiama Adèle. Ha undici mesi. Mamma te ne ha parlato.

– Adèle... non è un po' vecchiotto come nome?

– Trovi?

– Ma sì. Perché non mi racconti qualcosa di te? Sono stufa, capiscimi. Stanno sempre tutti a farmi domande noiose: «Hai mangiato?», «Hai dormito?», «Ti serve qualcosa?», ma nessuno mi racconta più niente.

Le ho parlato del ristorante, della mia brigata, degli ultimi piatti che ho messo nel menu. Le ho ricordato che era venuta a cena con suo figlio appena avevamo aperto. Di sua sorella che viveva a Parigi a casa nostra per occuparsi di sua nipote, che non era facile tornare a vivere con la propria madre a quarant'anni passati, di quello che sta capitando a me e a te... Avevo l'impressione che mi ascoltasse. C'era una piccola luce nel suo sguardo. Non l'ho sognato. Quando ho finito mi ha detto: «Che bello!».

Ci siamo seduti su una panchina e non abbiamo più parlato. Tornati in camera sua, le ho dato il suo dolce, con il cucchiaino. Stavo dando da mangiare a mia zia, la stessa che quando ero piccolo mi impressionava tanto, così rigorosa, esigente, l'intellettuale della famiglia, prof universitaria, storica delle religioni. Ho stretto la mascella per non piangere.

Mi sono messo il giubbotto. Ho avuto paura che volesse uscire insieme a me, ma non ci pensava già più. Le ho dato un bacio. Quando sono uscito, non si è girata, guardava fuori dalla finestra. Ero uno straccio.

N.

P.S. Non ti ho chiesto con chi altro ti scrivi, con Esther?

Malakoff,
25 aprile 2019

Nicolas,

a quanto pare ho avuto il mio ultimo incontro con i medici della maternologia. Gli ho detto che in pratica ci stavano buttando fuori. Uno di loro si è gentilmente offeso. Mi ha assicurato che io e Adèle stiamo bene e che la mia psichiatra continuerà a seguirmi. Mi ha spiegato che lì dentro loro curano e proteggono, ma che bisogna stare attenti a non farlo diventare un guscio di cui poi le pazienti non possono fare a meno.

Hanno organizzato una merenda per festeggiarci. Le ragazze hanno regalato dei giochi a Adèle (li avrai visti, un orsetto di peluche e delle costruzioni). Io piangevo. L'indomani gli ho fatto arrivare delle crostate e qualche torta basca.

Mi dispiace per Marie. Tua madre me ne ha parlato l'ultima volta che sono venuta a casa. Mi ha detto che le stava cercando una struttura a Bourg-en-Bresse per averla più vicina quando tornerà a casa. Andremo a trovarla con Adèle, sei d'accordo?

Dovrei scrivere un dialogo, ma non sono ispirata. Ho bisogno di parlarti, non di giocare a fare la scrittrice. Con l'altra mia corrispondente ci sono riuscita. Jeanne, non Esther. Ti ricordi di lei? Che tipa! Era professoressa di pianoforte a Lione. Oggi vive da sola in campagna in mezzo ai suoi animali. Mi sono confidata con lei, è stato facile. Il suo animo gentile mi è stato di grande aiuto. Non so se era brava come insegnante, ma sarebbe stata un'ottima psicologa. Mi sono permessa di invitarla al Camélia (è vegetariana) quando il laboratorio sarà finito. Ti piacerà. Ho anche pensato di dare il suo nome a un nuovo dolce, per dirti quanto mi sono affezionata a lei!

Prima di tornare a casa, probabilmente mi aspetta qualche seduta dura con la psichiatra — il mio lavoro non è ancora finito — dopo mi raccoglierò col cucchiaio, nessuno può aiutarmi. Non voglio che i miei momenti di crisi si ripercuotano su di te più del dovuto. Oggi sono capace di rialzarmi, di distinguere le cose con chiarezza. Aspettami, mio valoroso e bel soldato, ti chiedo solo di montare la guardia alla fine del tunnel, io sto arrivando.

Con affetto, baci,
Juliette

Jeanne a Samuel

Verjus-sur-Saône,
18 aprile 2019

Caro Samuel,
piccolo monologo deprimente e gustoso.
Per quale motivo dovrei uscire dal mio letto? Per chi? Non mi aspetta nessuno. Niente di nuovo

all'orizzonte, zero prospettive… Come ho fatto a ridurmi così? Sola in una casa di campagna. Con i miei animali. Sono patetica. Non ho più nemmeno il pianoforte per consolarmi. Solo le mie lamentele. Devo alzarmi. Un caffè, e poi succeda quel che succeda. E se facessi dei dolci? Un sacco di dolci. Andata, con la radio a tutto volume. Non voglio sentire se suonano alla porta. Bam! Paf! Clac! Bum! Pam! È bello fare rumore, sbattere le ante degli armadi, correre come se fossi di fretta. Devo stare attenta ai tempi di cottura. Svuoto il cervello, ecco fatto, respiro meglio. È già l'una. La mia ultima torta è in forno. Oddio, sono io quella allo specchio? Roba da matti, cioccolato sulla faccia, zucchero tra i capelli, le dita appiccicose, le guance rosse. Senza neanche una pausa, ho fatto crème caramel, torta di mele, charlotte alle pere e mousse al cioccolato. Non aspetto nessuno, non so chi li mangerà, ma sto meglio. Oddio, la cucina! È un campo di battaglia. Sono pazza, pronta per essere rinchiusa. Tutto questo solo per un risveglio difficile.

Devo ammettere che non ho capito niente del dialogo con i tuoi amici. Ma è stata una buona idea.

Che brividi! Mi ricordo perfettamente della scena del romanzo di Hemingway di cui parli. «Insostenibile» è la parola giusta. Che gran libro, vero?

Non vedo l'ora di leggere il tuo monologo…

Bella bro' (si dice così?),

Jeanne

<u>Samuel a Jeanne</u>

23 aprile

Monologo: Nella testa di mio fratello.

Io, Julien, non parlavo della mia morte. Non dicevo che avevo paura. Ma non vuol dire che non ci pensassi. Quando stavo troppo male, gridavo a Sam: «Vattene!». Non guardavo serie tv, evitavo di uscire o di pensare alle ragazze. Quando stavo male o avevo paura diventavo aggressivo. Odiavo il mio corpo che mi aveva tradito già da tempo, che non era all'altezza. A volte odiavo anche i miei genitori, che mi avevano fatto difettoso. Provavo a non farglielo capire. Dentro di me sapevo che non c'entravano niente e che avrebbero dato la vita per me. A volte odiavo anche mio fratello. Non era malato, ma si permetteva di mettere il muso e di non combinare niente a scuola. Sapevo essere simpatico. Ero un bravo imitatore. Con tutti quelli che giravano in ospedale, avevo il mio da fare. C'erano i medici, gli infermieri e i barellieri, alcuni li conoscevo da anni. Quella che imitavo meglio di tutti era Florine, perché soffriva di zetacismo. Quando eravamo piccoli ci faceva ridere. Era la più simpatica. E poi, il dottor Jean con i suoi tic… che tipo. Ero felice quando tornavo a casa. Ogni volta speravo di essere guarito, che non mi sarebbe successo più niente. Se ricomparivano i dolori, o una grande stanchezza, ero io stesso a chiedere di tornare in ospedale. Non c'era più spazio per me lì in mezzo a loro. Mia madre a cui impedivo di andare a lavorare e che non mi curava bene come gli infermieri del reparto, mio padre che andava nel panico ogni volta che vomitavo o mi saliva la febbre. Quando le cose ricominciavano ad andare male ma restavo a casa ed esitavo a farmi ricoverare, mi dicevo che le persone che amavo di più al mondo non potevano fare niente per me, che non erano capaci di proteggermi, ed era atroce pensarlo, anche se era la verità. Accentuava la mia solitudine. La casa e l'ospedale erano due mondi differenti. Il giorno e la notte. Mi chiedevo: «Perché io?». L'assenza di una risposta mi lasciava col morale a terra. Per quanto fossi un rottame e soffrissi, ero pieno di rabbia. Mi piaceva l'università. Mi dicevo che presto ci sarei tornato. Non avrei recuperato il tempo perso, ma non m'importava più di tanto. All'università si può andare a tutte le età, non è come la scuola dell'obbligo. Avrei ripreso la facoltà di lettere, scritto dei libri o forse sarei diventato docente universitario. Mi tenevo vivo così, immaginandomi un futuro in cui avevo un posto tutto mio. Come tutti.

Non ci siamo detti addio, con i miei genitori, con Samuel. Non sapevo che stavo morendo.

Fine del monologo.

Oppure ti posso raccontare della consulente per l'orientamento. Per calmare la mia ansia mi dicevo che non me ne fregava niente, che avrei archiviato la questione in fretta, che ci andavo solo per fare un piacere a mio padre. Non funzionava. Ero stressato forte. Non avevo niente da dire a quella donna. Deve essere così pure agli esami quando non sei preparato. E poi non volevo rimettere piede in una scuola. Se era quella dove andavo prima, mi sarei rifiutato. Non posso dire che sia stato un colpo di fulmine con Madame Dablon. Le tipe magre e secche, con i capelli cortissimi e gli occhi come laser non mi piacciono. Questo non ha favorito le cose. Mi ha detto che era lì per aiutarmi a guardare con più chiarezza il mio avvenire e per rispondere alle mie domande, se ne avevo. La sola cosa che le volevo chiedere era quanto sarebbe durato, mi sono trattenuto. Non dovevo farmela nemica solo perché ce l'avevo con mio padre. All'inizio abbiamo parlato di tutto e niente. Come passavo le mie giornate, le serie tv che guardavo. Anche lei ne guarda qualcuna, *Peaky Blinders*, *Narcos*. Mi ha stupito che mi parlasse di cose del genere. Doveva aver capito il mio disagio e provava a essere simpatica. Il laboratorio di scrittura l'ha divertita. Non ci vedevo niente di divertente. Per me era una cosa seria. Le ho detto che non è così facile scrivere, ma che mi piace sempre di più. Le ho detto di te. Anche che mi ero messo a leggere. Ha voluto sapere che genere di libri, se avevo voglia di continuare quando il laboratorio sarebbe finito. Le ho detto di sì, che le cose non erano per forza legate. Non le ho precisato che erano i libri di mio fratel-

lo. Un'ora dopo ero ancora nel suo ufficio. Non
ne potevo più. Mi chiedevo dove volesse arrivare
con tutte quelle domande. Ed è in quel momento
che mi ha chiesto di tornare: «Parleremo del
futuro, dei possibili orientamenti; nell'attesa pensi a tutto quello che le piacerebbe fare
nella vita. Quali studi, quali mestieri, quali
sport… tutto quello che le passa per la testa
lo annoti su un foglio. Io farò lo stesso, dal
mio canto». Ma tutto quello che mi passa per la
testa già lo dico a te. Penso proprio che le al-
lungherò un foglio bianco. Come se ci fossi io
lì dentro. Non pensavo che ci sarebbe stato un
secondo appuntamento. Che palle.

Più leggo *Per chi suona la campana*, più lo
trovo bello. Anche la storia d'amore è bella.

Samuel

Il sabato, Margaux fa le pulizie. Inizia dalla stanza di
Julien. Potrebbe passarci l'aspirapolvere solo di tanto in
tanto ma non si decide. Lascia la porta leggermente aperta. Ha scoperto che Samuel va nella camera di suo fratello. Non sa a farci cosa. Passando lo straccio sui libri di
Julien, si accorge che ne mancano due. Si chiede se Sam
si sia messo a leggere. «Sarei stupita, ma mi farebbe piacere. Vorrebbe dire che sta meglio, che c'è qualcosa a cui
s'interessa.» È sollevata. Un po' più tardi, trova il libro
di Éric Faye sul suo comodino, sopra alcune magliette.
Esita a incoraggiarlo e a congratularsi con lui. Potrebbe
rovinare tutto. Se avesse voluto che lei sapesse, non avreb-

be preso il libro di nascosto. Lei ha già fatto abbastanza danni. È in gran parte colpa sua, se Sam è taciturno, complessato, chiuso. La malattia di Julien l'ha assorbita, così Sam è cresciuto da solo. Gli sono toccate le briciole. Briciole d'amore, di presenza, di attenzione, di sostegno. Samuel è stato messo da parte. Lei e Patrick non si sono occupati di lui a sufficienza. È ingiusto. Lei lo sapeva, ma non poteva farci niente. A ogni ricaduta di Julien, sprofondavano nella malattia. Contava solo la loro lotta contro il cancro, nient'altro. «Sono stata inesistente con Sam» si diceva scoraggiata quando annullava un'uscita, dimenticava di chiedere com'era andato un compito, di rinnovare l'iscrizione a basket. Da quando Julien è morto, non sa come riavvicinarsi a lui, come chiedergli scusa. Li separa un abisso, oggi si rende conto di quanto è profondo e si dice che è troppo tardi. Non si ricorda di una volta in cui lui si sia lamentato del loro comportamento, o che abbia avuto scatti d'ira. Nemmeno una volta in tutti questi anni. Avrebbe preferito di sì. Tutto, piuttosto che il silenzio in cui si è rifugiato. Nemmeno quando gli rimproverano la sua passività dal suo viso traspare qualcosa.

Margaux sa meglio di chiunque quanto il senso di colpa ti rovini. Non c'è niente di meglio di una prigione per studiarne le diverse forme, il male che è capace di generare. C'è quello che uccide a fuoco lento, quello che ti rosicchia da dentro, quello che ti rende folle e provoca violenza e morte. Il suo senso di colpa è doppio. Per il figlio morto e per quello che ha trascurato. «Il senso di colpa intralcia e impedisce di andare avanti. Il mio mi paralizza, mi allontana dalla persona che amo più di tutti» sospira.

<u>Jean a Esther</u>

Cara Esther,
ecco il mio monologo: Nicole, la moglie del clown.

Mi piace questo brandello di cielo all'angolo della mia finestra! Mi fa venire voglia di fare una passeggiata, di lasciare questa mansarda che sa di spugna bagnata. Lo stesso odore umido che c'è in alcuni bar. Ho provato di tutto per farlo andare via. Ho areato per giorni interi, acceso candele, comprato il legno di cedro, fatto andare i ventilatori a più non posso. È sempre tornato. Quando dico a Max: «Lo senti? Senti bene», lui chiude gli occhi, inspira forte, non sente niente. Ho dormito male stanotte. Ma questa settimana non andrà meglio: il vicino ha il turno di notte. L'ho sentito rientrare verso le quattro. Si è fatto da mangiare, ha acceso la radio, molto bassa, ha fatto la doccia in fondo al corridoio… Non c'è niente da fare, io mi dico: «Dormi, su, pensa a qualcos'altro», ma vedo i suoi gesti come se fossi dall'altro lato di questa parete, sottile come carta velina. Si toglie le scarpe, va verso l'angolo cottura, fa scorrere l'acqua, apre un'anta, poi un cassetto, tira fuori le posate, sposta la sedia… C'è da impazzire. Perché il mio cervello non mi ubbidisce quando gli chiedo di tornare da me e di non passare il tempo a casa del vicino? Nelle mattine così faticose impreco contro il nostro minuscolo bilocale, dico a Max che me ne voglio andare, che non ce la faccio più. Mi chiede dove penso di andare. Non so come rispondergli. A forza di lamentele, passa sempre più tempo fuori. Di cosa mi lamento? Non ce la passiamo così male in questa mansarda. Il bagno in comune alla fine del corridoio è pulito, abbiamo anche l'ascensore. È gratis, eccome se ce lo facciamo piacere. Andiamo al cinema e il fine settimana al cinese all you can eat, a Les Halles. Max mi basta per essere felice. Quando esce, a volte ne approfitto per far prendere aria al suo costume da clown, al fiocco, al cappello e alle scarpe. Li poso sul letto. Mi piace vedere quei colori fiammeggianti, accarezzare i pantaloni di velluto verde, la giacca in cotone e feltro rossi, il cappello su cui io stessa ho cucito degli enormi girasoli. Se avessimo avuto dei bambini Max avrebbe fatto il clown per loro, poi per i nostri nipoti. Sento l'ascensore che si ferma al quinto. Sono Max e Bélinda che tornano.

Jean

Jean s'immagina Esther bassa, bruna, capelli a caschetto, viso appuntito un po' severo, e con gli occhiali. Un fisico carino, niente di più. Poco importa, comunque, dato che quella è una Esther inventata da lui. Ritrova la sua prima mail con le foto dei partecipanti al laboratorio. Juliette somiglia alle descrizioni di Nicolas. Una bella donna. Il viso squadrato, mora, i capelli disordinati, occhi neri, sopracciglia spesse. Tra le fototessere non c'è quella di Esther Urbain. Quando lei ha chiesto se volevano i suoi commenti per telefono o per mail, lui ha scelto la mail per ragioni pratiche. Se ne pente. Almeno al telefono avrebbe sentito la sua voce. Cerca una sua foto su internet, sul sito della libreria, digita «Esther Urbain» su Google, poi «François Perceval ed Esther Urbain», «Figlia di François Perceval». Trova delle immagini dello scrittore, i cui capelli sembrano essere diventati bianchi anzi tempo, ma niente sulla figlia. Non ha Facebook, Twitter, Instagram. Sulla carta, non esiste. In qualche foto di François Perceval, sullo sfondo, c'è sempre la stessa ragazza, mora con i capelli corti, ma non è certo sia lei. Sui social network c'è una sola Esther Urbain, una simpatica ragazzina che spiega su YouTube in un video del 2017 «come rimanere sé stessi».

Esther a Jean

Lille,
2 maggio 2019

Per Jean.
«Mi piace, non mi piace», il mio monologo facile facile.

Mi piace la neve. Non mi piacciono gli ombrelli.
Mi piacciono i cappotti e le giacche rossi. Non mi piacciono le ragazze troppo truccate o troppo leziose. Mi piace *Busto di donna*, una scultura di mia madre che ho sistemato nella mia camera

da letto. È mia madre che veglia su di me. Non mi piace la musica folkloristica. Mi piacciono Bach e Bowie. Non mi piace fare la fila. Mi piacciono le dalie, mi ricordano mio nonno. Non mi piacciono i fiori azzurri e i bouquet. Mi piacciono tantissimi scrittori. Non mi piacciono i clienti «meglio la letteratura di una volta» che leggono solo classici. Mi piacciono le patatine fritte con il maroilles fuso sopra e l'ananas. Non mi piacciono gli involtini di indivia con il prosciutto, ancora di meno le persone che se ne stupiscono: «Non ti piacciono gli involtini di indivia al prosciutto?! Ma com'è possibile? Sono così buoni quando sono preparati per bene». Mi piacciono i miei genitori. Non mi piacciono i miei genitori. Non bisognerebbe morire così. Mi piacciono le persone a cui piace il silenzio. Non mi piace la musica nei ristoranti. Mi piace la gentilezza. Non mi piaccio quando faccio finta di non vedere il barbone seduto sul marciapiede. Mi piacciono le persone che dubitano. Non mi piacciono gli estremisti, di tutte le parti. Mi piace guardare l'album di foto in cui sono con i miei genitori. Non mi piace la malinconia quando mi coglie di sorpresa. Mi piace Chopin e il gruppo The National. Non mi piacciono le voci sdolcinate. Mi piace aver ragione. Non mi piacciono gli spilorci. Mi piacciono le persone coraggiose. Non mi piace chi si defila. Mi piacciono i film western. Non mi piacciono le commedie musicali. Mi piace Jean Echenoz, non mi piacciono i *Feel good books*. Mi piace Henri

Rousseau il Doganiere e Nicolas de Staël. Non mi piacciono le persone che nei musei fotografano i quadri senza guardarli. Mi piace l'idea che un giorno farò un lungo viaggio in Giappone. Non mi piace l'odore di cane bagnato. Mi piace la radio. Non mi piace la tv. Mi piace quando so essere indulgente. Non mi piace chi mangia con la bocca aperta. Mi piacciono Edward Elgar e Benjamin Biolay. Non mi piacciono le storie d'amore che finiscono male. Mi piace la nebbia. Non mi piacciono i transatlantici da crociera. Mi piace il cattivo tempo.

Esther

Jean a Nicolas

Parigi,
2 maggio 2019

Ecco il mio monologo: nella testa di mio padre.

Ho sentito: «Oh, lo sai che tuo padre dove lo metti sta», prima che raggiungesse il suo studio e si chiudesse la porta alle spalle. All'inizio non ho capito con chi parlava, se con Jean o con Pierre. Dopo qualche minuto è ricomparsa furibonda: «No, ma di cosa s'impiccia?», «Come se io non mi occupassi di niente», «Dopo tutto quello che ho fatto per lui, ecco il ringraziamento, ben mi sta!». Quando le ho chiesto perché fosse arrabbiata, mi ha risposto: «Era Jean, mi ha urlato contro. Non capisce perché vendiamo

Honfleur dato che a te piace tanto questa casa. Io, ovviamente, non conto nulla!».

Non ho detto niente. Non importa. Presto sarò morto. La reazione di Jean, però, mi incuriosisce. Non è da lui. È troppo tardi per cambiare sua madre. Mio figlio non è stupido, lo sa bene.

Se potessi tornare indietro di cinquant'anni, mi comporterei diversamente. Ci immagino più giovani, qualche tempo dopo esserci conosciuti. Siamo al ristorante. Lei è seduta di fronte a me. Mi fa un'osservazione scortese, l'ennesima, una di troppo. Mi alzo, pianto un pugno sul tavolo e urlo: «E no! Tu non mi parli più così!». Oppure: «Mi hai rotto le palle!». Assaporo lo stupore e la rabbia sulla sua faccia. Tiene lo sguardo fisso sul mio. Esita a rispondere. Abbassa gli occhi sul suo piatto. Ovviamente le cose non sono andate così. Ho ceduto ai suoi capricci, incassato i rimproveri e le recriminazioni senza ribellarmi. La faccia fissa sul piatto era la mia. Pensavo fosse una fortuna che una donna come lei si interessasse a uno come me. Era bellissima. E che classe! Occhi blu intenso, capelli lunghi e biondi, labbra carnose, voce dolce, snella… corrispondeva al mio ideale. Io non ero per niente un dongiovanni. A ventisette anni perdevo già i capelli, avevo qualche chilo di troppo, mi facevo dei complessi per le dita grassocce e i denti ingialliti dal tabacco. Fumavo come una ciminiera. Quando quella principessa, la regina delle seduttrici, aggrottava le sopracciglia, metteva il muso, o quando incrociava le braccia per la rabbia, io ridevo. La trovavo affascinante, che scemo! Lei si è mostrata per com'era, dura e snob, dal primo incontro. Io la volevo tutta per me. Avevo il denaro per comprarla. Il suo brutto carattere non mi preoccupava. Saremmo stati felici insieme, con il tempo si sarebbe addolcita e rilassata. Non avevo sospettato che, molto presto, mi avrebbe disprezzato. Ancora meno che non sarei stato capace di tenerle testa. «Non è possibile andare avanti così. Le devo parlare», «Non mi può trattare in questo modo davanti ai bambini, è inaccettabile»: mi sono ripetuto queste frasi centinaia di volte. Ma i giorni, i mesi, gli anni sono passati senza che nulla cambiasse. Non so perché. I primi anni per paura di perderla, ma dopo?

Devo confessare che mi fa piacere che Jean si sia preoccupato per me e abbia inveito contro sua madre. È vero, io la casa a Honfleur l'avrei tenuta.

Jean

Nicolas a Jean

Parigi,
5 maggio 2019

La mia lettera «Tra dieci anni».

Carissimo Jean,
il 15 febbraio 2019, esattamente dieci anni fa, spedivo la mia prima lettera a uno scono-

sciuto: tu. «È assurdo, è una cosa da idioti, questo laboratorio» ecco grossomodo cosa mi dicevo mentre ti scrivevo, adesso posso confessartelo. Quegli scambi forzati me ne ricordavano altri, quelli col mio amico di penna tedesco della scuola quando avevo quindici anni. Ma non avevo scelta, lo sai, non sto qui a farti il riassunto. Non mi pento affatto. Juliette è tornata a casa e ho pure guadagnato un amico. Mi sono chiesto come celebrare i nostri dieci anni di amicizia e di collaborazione. Invitarti al Camélia? Certo. Ma cos'altro? Scriverti, ovviamente! È l'occasione di dirti quanto sono contento di averti conosciuto. Apprezzo i momenti che passiamo insieme. E senza te, Il Buono della Differenza non sarebbe mai nato. Sì, ho dovuto pressarti, ma ci siamo riusciti. Mi conosco, se non mi avessi aiutato, non ce l'avrei fatta. Un ristorante e due negozi di alimentari, non è fantastico? Ci lavorano quindici portatori di handicap. Ti rendi conto? Certo che ti rendi conto. L'entusiasmo mi fa parlare troppo, è sempre così. Per iscritto è più facile da sopportare. Abbiamo visto questi ragazzi diventare autonomi e maturare nel lavoro. Non si guadagna un soldo, ma un successo del genere mi pare meglio della grana, no?

Vabbè, torno ai fornelli. Sto elaborando un nuovo piatto della linea insapore: cavallette e formiche bio, erba di campo, mousse di soia.

Ci si becca,
Nicolas

<u>Jeanne a Juliette</u>

Verjus-sur-Saône,
29 aprile 2019

Juliette,
tutti noi aspettiamo qualcuno o qualcosa. Io
aspetto mia figlia. Il giovane Samuel aspetta
che i genitori si accorgano di lui. Tu aspetti
di sentirti pronta a tornare a casa. Suppongo
che Nicolas aspetti te. Esther avrebbe potuto
porci questa domanda: «Che cos'è che aspetti?».
La conversazione con tuo padre mi è piaciuta
molto. Grazie.
Adesso tocca a me raccontarti qualcosa. Da
anni, ho un abbonamento al Teatro dell'Opera di
Lione. Lo scorso settembre ho esitato a rinno-
varlo. Devo prendere la macchina per arrivar-
ci, Lione sta a trenta chilometri da casa, sono
stanca quando devo tornare, l'abbonamento costa…
Un giorno in cui probabilmente ero molto in forma mi sono ribellata. Cosa mi stava succedendo?
Non sapevo più guidare? Ero malata? Stanca? No.
Ho capito che la prima insidia della vecchiaia
è la rinuncia. Siamo meno motivati, diventiamo
più timorosi, pigri e abdichiamo. Basta un niente. Ci rintaniamo, rientriamo in modo lento ma
inesorabile nel nostro guscio. Lo spostamento
è quasi impercettibile, ma c'è. Lottare contro
la vecchiaia è una battaglia quotidiana, che
possiamo condurre finché godiamo di buona salute. Allora ho fatto una lista delle mie piccole

rese, passate inosservate fino a quel momento. Quanto constatato era sconfortante. Organizzo meno cene, vado meno al cinema, non mi aggiorno più sulle uscite di musica classica e jazz, cambio meno spesso le lenzuola e, per oziosità, sto usando uno shampoo non adatto ai miei capelli (Ops, scusami Juliette se condivido un po' della mia intimità con te). Proseguo con la lista e ne scopro delle altre. Ti rendi conto che ho rinunciato a uno dei miei passatempi preferiti, i concerti?

Stamattina ho fatto una lunga passeggiata con Luc, il proprietario del bar in paese. Di lui apprezzo il suo essere una mina vagante e la generosità. Adesso sta cercando di convincere il sindaco e i nostri concittadini ad accogliere dei migranti, con la scusa che ci sono abitazioni vuote, attività chiuse senza né clienti né chi voglia rilevarle, viticoltori che faticano a trovare manodopera, persone anziane che hanno bisogno di assistenza. Gli ho suggerito di approfondire il progetto, di metterlo per iscritto, fare una stima economica, ma non lo fa.

Spero che un giorno verrai a trovarmi. Ci faremo una passeggiata. Una volta salite in cima alla collina ti farò scoprire un panorama senza inquinamento visivo, lotti abitativi o zone commerciali. Solo vigne, alberi, paesini e l'orizzonte sconfinato. Sarei felicissima di venire a Parigi a cena al Camélia.

Un abbraccio,
Jeanne

<u>Juliette a Jeanne</u>

Malakoff,
6 maggio 2019

Cara Jeanne,
a questo punto, immagino tu abbia finito la
lista delle tue rinunce e messo le cose a posto.
Ho capito che non bisogna abbassare la guardia
quando si inizia a invecchiare. Spero di essere
tenace come te quando toccherà a me.
Come ti ho scritto, i miei genitori vivono in uno di quei lotti. Immagino che quelle
zone residenziali tutte uguali abbiano qualcosa di rassicurante. Mi ha stupito che, una
volta in pensione, abbiano deciso di comprare
un villino nella campagna di Trouville invece
di restare in centro. Mi hanno decantato la
sicurezza, la presenza di vicini, la cucina
equipaggiata, il piccolo giardino che chiedeva
poca manutenzione, il garage sotto la casa,
così pratico, la «camera matrimoniale con cabina armadio e doccia di design». Si sono comprati un impianto home cinema. Come te, a me
non piacciono i lotti. Ma capisco che i miei
pensino di aver fatto un affare (nessuna spesa
notarile, a quanto pare), loro se ne fregano
se la loro casa ha stile o se è uguale a quella dei vicini. Hanno scelto il colore delle
persiane (blu o beige), della cucina (rossa o
bianca) e la tinta del parquet (chiaro o scuro). Non chiedono di più. O meglio, non chie-

dono troppo. Stanno bene nel loro villino. Lo trovano pratico e confortevole.

Sto meglio. Non ho più paura di sbagliare quando sono con mia figlia. Riesco a parlarle, sorriderle senza sforzarmi, senza tremare tutta. Le dico che è una meraviglia, che sono fiera di lei. Le parlo dei suoi occhi blu, gli stessi di suo padre, dei capelli neri, gli stessi di sua madre. Non saprà se sono gli stessi di sua nonna materna, e allora?

Sta sorgendo il sole, Jeanne. Ed è anche grazie a te.

Un abbraccio,
Juliette

P.S. Ho dimenticato di spedire a Esther l'ultima lettera che ti ho mandato. Posso chiederti il favore di pensarci tu? Grazie in anticipo.

Jean ha difficoltà a fare l'ultimo esercizio, proiettarsi tra dieci anni. Per non urtare Esther, fa uno sforzo. Ma trova l'idea ridicola. Scriverà la stessa lettera ai suoi due destinatari. Sarà comunque tanto di guadagnato.

Tra qualche giorno pranzerà con i suoi due capi per informarli che li abbandona. Le settimane successive saranno dedicate al suo avvocato e alla negoziazione. Da quando ha preso la decisione, non pensa a nient'altro. Le sue dimissioni sono l'evento più mozzafiato ed esilarante che gli sia successo da tanto tempo. Il suo futuro dipende da questa ripartenza. È da brivido. Si è ripromesso di non parlarne con nessuno fintantoché la contrattazione non sia andata a buon fine. E dopo? Una grande tenda nera gli blocca la visuale sul futuro. Be', non esattamente. Quando il laboratorio sarà terminato andrà a cena al Camélia. È felice di aver conosciuto Nicolas. Hanno almeno dieci anni di differenza, non si somigliano, non hanno niente in comune; sotto molti aspetti sono dei fratelli coltelli, ma si stimano a vicenda. Molto. Jean si chiede se sono stati fortunati loro due o se invece sia stato uguale per tutti, se le relazioni epistolari incoraggino fino a quel punto la confidenza e la simpatia. Si chiede se anche gli altri, alla fine, si siano divertiti a scambiarsi lettere, affinità naturali o meno. Le lettere hanno il potere di creare un legame particolare tra quelli che le scrivono? Cosa sarebbe successo se lui e Nicolas si fossero incontrati a una cena? Nicolas avrebbe brontolato da sotto la sua barba da hipster: «Chi è questo stronzo? I tipi così non li sopporto». E la loro amicizia sarebbe morta sul nascere. Con Esther è diverso. Non c'è nessuna ragione perché si rivedano, a meno che non capiti per caso. Eppure. Esther gli piace. Non sa come farà ma vuole vederla, parlarle. «A conti fatti, il mio prossimo futuro è molto eccitante.»

ORIZZONTI

<u>Jeanne a Samuel</u>

Verjus-sur-Saône,
30 aprile 2019

(Ecco la mia lettera «Tra dieci anni».)

Caro Samuel,
ti auguro un bel 2029. Ne hai fatti di progressi dalle nostre prime lettere! Ho trovato molta difficoltà a spedire questa, gli uffici postali si fanno sempre più rari. Tu che dubitavi tanto di te, alla fine hai trovato la tua strada. Vedi, Samuel, che non si sa mai cosa ci riserva la vita. Ci illudiamo di controllare il corso degli eventi, presenti e futuri, ma quando ci guardiamo indietro, dobbiamo ammettere che il percorso non è per niente, o non del tutto, quello che avevamo scelto, immaginato, sognato, temuto. Hai iniziato a mettere un piede davanti all'altro il giorno in cui hai elaborato il

lutto di tuo fratello e hai smesso di sentirti
in colpa. Ma non pensare che il successo sia
acquisito, che le cose si siano sistemate per
sempre. Non lo sono. Se ti dai i mezzi e se questo è quello che vuoi, assaporerai altre grandi
soddisfazioni, o anche altre brutte sorprese. Ti
auguro solo le prime, ma non arrivano senza le
seconde. È il prezzo da pagare. Non abbassare la
guardia, non ho altri consigli.

Jeanne

<u>Samuel a Jeanne</u>

8 maggio

Jeanne,
ho rivisto Madame Dablon. Non avevo preparato niente. Non mi piace pensare al mio futuro
perché non desidero nulla. È strano e deprimente non immaginarsi da nessuna parte. Non mi
è sembrata stupita di vedermi a mani vuote. Mi
consiglia di sostenere l'esame di maturità da
privatista. Dice che non è facile studiare tutto il programma da solo, ma che sarei seguito
e che ho le capacità per riuscirci, è solo una
questione di volontà. Ci penserò.

«Tra dieci anni.»
L'altro giorno sono passato a trovare i miei.
Non ricordo come è uscito il discorso, ma ab-
biamo parlato di Julien. Ci siamo detti che

246

facciamo fatica a ricordarci il suo volto. Sono bastati dodici anni, non sono molti, perché diventasse un ricordo sfocato senza i dettagli. Come il suono della sua voce. Mia madre non piange più prima di addormentarsi, è mio padre che me l'ha detto. In ogni caso, non vivo più lì per poterla sentire.

Lì dove sto ora, sul mare, mi tengo lontano dalle notizie, piccole o grandi. Mi sono scelto questo posto di proposito, perché qui è possibile. Faccio di tutto perché non mi arrivi nulla. Non ci riesco sempre. Mi accorgo che il nostro pianeta è sull'orlo del collasso. Il colore sporco del cielo si confonde con quello dell'orizzonte. C'è ovunque lo stesso fumo che ci impedisce di vedere, che pizzica gli occhi e la gola. Lo stesso che viene dopo un incendio, tranne per il fatto che questo fumo il vento non lo disperde. È di un colore che definisco «grigio catastrofe». Il mare porta a riva sempre più detriti. Alcune mattine dà l'impressione che un giorno non ci sarà più, che dal niente si cristallizzerà. È il suo modo di dirci che getta la spugna e ci pianta lì, a noi e alla nostra merda. So già la frase che pronuncerò qualche minuto prima che il mare muoia: «Toh, che strano, non si sente più il rumore delle onde». Avremo vissuto quel periodo il cui è svanita la speranza di tornare indietro. Il male è stato commesso. È troppo tardi per ripararlo. Credi che ci siano ancora dei posti che l'uomo non ha insozzato?

Sicuramente questa è l'ultima lettera che ti

spedisco, Jeanne. Tra qualche giorno le cassette della posta verranno distrutte. Non ne farei un dramma, se pensi che è stata un'impresa persino trovare un francobollo. Quando ho chiesto, mi hanno guardato strano. Non importa, tanto noi ci vediamo presto.

Samuel

Nicolas a Juliette

Parigi,
30 aprile 2019

Ecco il mio monologo, Juliette.

Lei, l'amore della mia vita.

Mi sveglierà di nuovo all'alba perché muore di fame e devo sbrigarmi a preparare la colazione. Mi rigirerò tra le lenzuola, tufferò la faccia nei suoi capelli e le metterò una mano, oh sì, sul sedere. D'inverno, alla fine di una sfiancante giornata di lavoro, lei si rannicchierà contro di me sul divano. Guarderemo una serie tv. Mi lamenterò per la sua tuta informe e per le calze di lana. Ma sarà comunque bella. Romperà ancora qualche piatto, imprecherà contro le mie scarpe su cui inciampa quando si alza nel cuore della notte. Mi ricorderà a giusto titolo che sono uno chef, non un filosofo. Sarò entusiasta delle sue ultime ricette per il pane. Mi tirerà per il braccio per evi-

tare di avventarmi sul coglione di turno che
sono condannato a incontrare fino alla fine dei
miei giorni. Mi cazzierà perché non ho iniziato
l'ultimo romanzo che lei ha adorato nonostante l'avessi promesso. Mi gireranno quando per
l'ennesima volta uscirà in anticipo per andare
al lavoro: non mi piace svegliarmi senza di lei.
In aereo, in treno o in macchina, mentre siamo
in partenza per delle lunghe vacanze, baciando-
mi mi dirà: «Sono così contenta!». Lei ballerà
sola in mezzo al salotto, la musica a palla, io
la guarderò, la troverò sexy, irresistibilmente
sexy. Continuerà a chiedermi, quando meno me
lo aspetto: «Siamo fortunati, eh?». Aspetterà
che le risponda come se ne dipendesse la nostra
vita. Come se mi facesse quella domanda per la
prima volta.
N.

Juliette a Nicolas

Malakoff,
8 maggio 2019

Nicolas,
il mio monologo:
Mi chiedo come ho fatto a perdere il mio corpo. Mi guardavo nuda allo specchio, senza trar-
ne piacere o disagio. Un corpo estraneo, che
si teneva a distanza. Non era più il mio. Che
strana sensazione. Nessun risentimento, nessu-

na fierezza. Aveva perso consistenza, carne, spessore. Mi osservavo il seno, le gambe, la passera, il sedere. E? Niente. Mi ricordavo dei miei vecchi complessi, la pancetta di quando mi lasciavo andare, le spalle che non mi piacevano, gli incisivi accavallati. Non mi riguardavano più. Mi prendevo cura del mio corpo. Conoscevo i gesti. Gli davo da mangiare, lo lavavo, lo vestivo, lo riscaldavo, ma non mi apparteneva più. Da quando mi ero ammalata, non mi preoccupavo più dello sguardo degli uomini, del mio corpo come oggetto del desiderio, fonte di piacere.

Quando ho cominciato a stare meglio, il mio corpo si è messo in scia, allo stesso ritmo. Ha ritrovato colore, spessore, forme. È riapparso in tutta la sua imperfetta bellezza. Lo guardavo, lo toccavo, lo accarezzavo, lo sentivo. È diventato meno immaginario.

Con i farmaci la mia libido era scomparsa. Adesso sta tornando. La sua foga e il suo impeto mi incantano. La vita da suora, reclusa nel proprio sgabuzzino, è acqua passata.

Mi chiedo come ho fatto a ritrovare il mio corpo.

Juliette

Bruxelles-Parigi,
7 maggio 2019

Cari Esther e Nicolas,

tra dieci anni:
Dalla mia finestra vedo il sole tramontare.
Non penso più all'inquinamento, all'aria soffocante. Dimentico il silenzio, la solitudine
che mi imprigiona, i robot che hanno forzato le
nostre porte, le pulci che hanno colonizzato i
nostri corpi. Dimentico che quello che faccio
è registrato, analizzato, immagazzinato. Dimentico che è successo tutto molto velocemente.
Dimentico che non ho più paura di niente, che
sono protetto. Dimentico i miei timori, i miei
dati sanitari, geografici, psicologici, e gli
schermi ovunque. Dimentico che ho venduto l'anima al diavolo, la mia libertà per la sicurezza.
Mi ricordo gli alberi, le pianure sconfinate, i
cervi reali nella neve, i laghi dalla superficie
calma, la luminosità del cielo, i pipistrelli
che piombavano nel capanno, i ruscelli visti
dall'aereo che tracciavano un solco netto e perfetto attraverso terreni immensi. Dimentico che
la Storia è stata rapita. Mi ricordo delle orme
che lasciavamo camminando sulla terra gelata,
dei nostri bastoni che rompevano il ghiaccio,
del mare vergine dei nostri errori, delle sorprese che ci riservava la vita, anche dei suoi

misteri, delle domeniche sfaccendate a Parigi, delle foglie morte a terra impregnate d'acqua, di una donna fiera del suo mestiere di rimagliatrice. Di noi, quando era ancora possibile salvare il pianeta e la pelle. Di me, che mi ero giurato di non diventare un vecchio imbecille. Ho sessantatré anni. Non mi pento di niente. È stato tutto vero e io l'ho vissuto.

Jean

Esther a Jean

Lille,
11 maggio 2019

Tra dieci anni.

Caro Jean,
sistemando alcuni scatoloni mi sono imbattuta nelle nostre vecchie lettere. Non so se anche tu ci ripensi di tanto in tanto. Io spesso. Che strana idea avevo avuto, organizzare un laboratorio di scrittura epistolare. Me lo dico con stupore, ma ne serbo un ricordo commovente.

Ho letto l'ultimo romanzo di tua figlia. Mi è piaciuto. E a te? Lo vendo bene in libreria, anche se la situazione non cambia. Saprai bene che abbiamo sempre meno lettori. Sono tempi duri, ma ti ricordi cosa dicevo all'epoca? Il mio mestiere continua sempre a piacermi.

Qui la canicola provoca disastri. Mentre i

ventilatori sollevano aria cocente, io soffoco
e sogno una pioggia gelida e montagne inneva-
te. Avrei dovuto installare l'aria condiziona-
ta. Sugli scaffali dei mercati, la frutta e la
verdura fanno pena a vedersi, gli alberi muoiono
di sete, l'acqua è razionata, l'amministrazio-
ne comunale non ha piantato fiori nei giardini
quest'anno — tanto non ci sono nemmeno più gli
insetti. Le autorizzazioni per guidare in città
sono sempre più restrittive, ho difficoltà con
le consegne a domicilio. Quanti vincoli! Cosa
fare, però? Dove andare? Il pianeta sembra un
enorme girarrosto.

Due settimane fa sono venuti qui Nicolas e
Juliette, abbiamo cenato insieme. Nicolas ha
visitato delle nuove proprietà viticole nella
regione e degustato i vini delle cantine. Ah,
se avessi saputo che un giorno la campagna di
Lille si sarebbe ricoperta di vigne! Mi ha detto
di averti visto di recente e che stai bene. Sono
offesa: lui ha tue notizie e io no. Sembra che
tu abbia comprato dei nuovi uliveti in Croazia e
che il tuo olio abbia di nuovo vinto un premio.
Lo cercherò all'alimentari.

Chiudo la libreria le prime due settimane di
agosto e, come sempre, ho dimenticato di prenotare le vacanze. Se partissimo insieme io e te?
Norvegia? Svezia? Islanda? Groenlandia?

Esther

<u>Jeanne a Juliette</u>

Verjus-sur-Saône,
9 maggio 2019

Monologo per Juliette.

Penso ad Hadrien quando faccio delle liste.
<u>Comprare da mangiare per Robert e Alfred.</u> Per-
ché? Cosa saremmo diventati? Avremmo finito per
lasciarci? Per bisticciare? Per detestarci?
Perché mi piace fare le liste? <u>Libri Sacha.</u> Come
se mi dimenticassi le cose, come se non avessi a
disposizione tutto il tempo che voglio. <u>Bicar-
bonato di sodio.</u> Dovrei fare la lista di tutto
quello che sarebbe diverso se ci fosse ancora
lui. Patirei meno la mancanza, che mi prende
alla sprovvista, non chiuderei gli occhi pre-
gando di sentire il suo respiro sul mio collo e
le sue braccia stringermi forte un'ultima volta.
Mi guarderei più spesso allo specchio, troverei
che sto invecchiando piuttosto bene. Non ascol-
terei la musica a tutto volume, non gli piaceva.
Sarei più serena. <u>Comprare una scopa. Ordinare
tavole per il recinto.</u> Non avrei ridipinto una
delle pareti del salotto di giallo «India» ma di
bianco. Farei ancora l'amore (insomma, credo).
<u>Chiamare Darmian rifugio Villeurbanne.</u> Le fine-
stre non sarebbero in questo stato pietoso. Non
abiteremmo più qui, non avrebbe sopportato l'arrivo dei lotti. <u>Carote/mele/carta.</u> Non parlerei
da sola. Chiuderei la porta del bagno quando lo

uso. Tirerei lo scarico ogni volta. Avrei meno paura di ammalarmi gravemente. <u>Doctolib ophtalmo. Tel. Diane e i Fontanel per cena (24 o 30?) + garage.</u> Non andrei da Luc tutte le mattine a bere un caffè. <u>Rispondere preventivo steccato.</u> La sera non cercherei di prendere sonno immaginando che Hadrien è uscito e che tornerà presto. Non avrei lasciato perdere con Aurélie. Andrei in vacanza. <u>Doppia chiave?</u> Non mi sarei iscritta a questo laboratorio. Non avrei scritto un monologo.

Un abbraccio,
Jeanne

<u>Juliette a Jeanne</u>

Malakoff,
14 maggio 2019

Per Jeanne
Monologo su un incontro mancato.

Quando mi sveglio all'alba, penso solo a una cosa, tornare a casa. È un'urgenza. Cosa ci faccio qui? In questo sgabuzzino, senza la mia famiglia. Prendo la borsa, scaravento i vestiti dentro la valigia ed eccomi già per strada. Ma non va così. Devo imparare a vedere oltre, riflettere sulle conseguenze delle mie azioni. Succede l'inevitabile. Sono davanti al portone del palazzo, come paralizzata, piantata sul marciapiede con la valigia. È di buonsenso piombare senza averli avvisati, mentre ancora dormono? Sorpresa, sono io! Non potevo pensarci prima? Cosa farò una volta aperta la porta? Sveglierò Nicolas? Farò come se niente fosse? Preparerò la colazione? Mi occuperò di Adèle, che si metterà a piangere, reclamerà suo padre, o Sylvie? Hanno tutti e tre le loro abitudini, che non conosco affatto, o poco. Un cane entrato in chiesa, ecco cosa sembrerei. Un'estranea in casa mia. Cazzo, mi rifiuto di affrontare una cosa del genere.

Resto lì, bloccata, a fissare le nostre finestre, a dirmi che sto solo esitando, ma è una cazzata. Capisco in quel preciso istante che, prima di tornare, devo scrivere ai miei genitori. Non so perché, non so qual è il filo conduttore, ma lo seguirò. Finché non l'avrò fatto, non chiuderò il cerchio.

Non avevo notato che Sylvie aveva messo dei gerani nei balconi. È carino così. Mi sto per mettere a piangere. Voglio tornare a essere quella che ero, capace di prendere decisioni senza farne un caso di stato. Mi detesto. Sono diventata una ragazzina paurosa. Devo andarmene. Non voglio che la portinaia o il giornalaio mi vedano con la valigia, non saprei cosa dire. Se avessi lasciato il cervello in modalità on e non mi fossi fatta prendere dal panico all'ultimo momento, adesso starei dentro casa mia. Ma è troppo tardi. Taxi!

Juliette

VIAGGI

<u>Samuel a Jeanne</u>

11 maggio

Ciao Jeanne,
so che ti ho scritto solo tre giorni fa, ma
ho bisogno di raccontarti una cosa. Mio fratello
teneva le guide turistiche alla fine dell'ultimo
scaffale. Ce ne sono tre, tutt'e tre sul Giappone. Non le avevo mai notate. Ieri mattina le
ho sfogliate e mi sono reso conto che Julien le
aveva lette dalla prima all'ultima pagina. Aveva
cerchiato i nomi di templi, musei, strade, isole.
Tutti posti che avrebbe visitato, se ci fosse andato. Almeno immagino. In effetti, leggeva molti
romanzi giapponesi. Se vedessi queste guide, diresti che appartengono a uno che ci va tutti gli
anni. Secondo me era il suo segreto. Si raccontava
che sarebbe guarito per poi partire. Alla fine
c'è un glossario di espressioni comuni giapponesi. Julien ha cerchiato alcune parole. Magari le

conosceva e noi non lo sapevamo. In una di queste guide ho trovato un articolo di giornale ritagliato da Julien, «Il telefono che parlava con i morti». È una cosa da pazzi, provo a riassumertelo perché mi ha dato un'idea. In Giappone, nella regione di Tōhoku, lo tsunami del 2011 ha spazzato via ventimila persone, tra cui metà degli abitanti della città di Ōtsuchi. Un tipo, Itaru Sasaki, ci ha costruito una cabina telefonica. I fili del telefono non sono collegati a niente, per questo la chiamano la cabina del vento. Se l'è fatta da solo nel suo giardino dopo che il cugino era morto di cancro. Per continuare a parlargli. Poi, c'è stato lo tsunami, che gli ha portato via il suo migliore amico. Il giorno in cui hanno ritrovato il suo corpo, due mesi più tardi, è andato nella cabina per parlargli. Gli altri abitanti hanno iniziato a usare quella cabina per fare lo stesso con i propri morti. Anche per scrivergli, dato che Itaru ha messo a disposizione un «diario del telefono». Sono arrivati all'undicesimo volume. Ci sono delle foto in questi taccuini. Alcuni giornalisti hanno scritto articoli su questa cabina e alcuni stranieri che volevano parlare o scrivere ai propri cari hanno fatto il viaggio. Il corrispondente dell'«Obs» scrive che «il telefono del vento è una specie di fermoposta per l'aldilà». Hanno filmato le persone nella cabina, per farne un documentario. Un vecchio dice a sua moglie: «Fa freddo oggi, ma spero che dove stai tu non senti freddo. Torna presto. Ti aspettiamo tutti. Costruirò una casa per noi anche nel posto dove sei. Mangia. Vivi.

Ovunque tu sia. Sono così solo». Un padre al figlio morto: «Sono passati cinque anni dalla catastrofe. Se la telefonata ti arriva, ascoltaci. A volte non so più nemmeno perché vivo. Vorrei sentirti dire "papà" un'altra volta». Queste storie mi hanno fatto venire voglia di mettermi a piangere. Sembra che in Giappone i vivi parlino con i morti, i fantasmi varcano le frontiere, danno dei segnali ai vivi. I giapponesi non danno di matto come noi per cose del genere. Mi piace quest'idea.

Ho guardato la data dell'articolo solo dopo aver finito di leggerlo. Mi sono venuti i brividi lungo la schiena. Erano tre settimane prima della morte di Julien. Ho passato la notte a pensare e pensare, e poi ho preso una decisione. Il giorno dopo, a cena, ho fatto leggere quelle pagine ai miei genitori a tavola. Avevo la voce rotta, ero a disagio, mi sentivo un imbecille, ma dovevo arrivare fino alla fine. «È un articolo che ho trovato nella sua stanza dentro una delle guide del Giappone. Guardate quando è stato scritto. Mi piacerebbe tanto che ci andassimo tutti e tre. Penso che sia quello che voleva.»

Non sono riuscito a pronunciare il nome di mio fratello. È stupido. È il genere di blocco, con i miei genitori, che mi confonde. Il viaggio è per questo. Forse possiamo ritrovarci tutti e tre, dirci le cose che non ci diciamo. Parlare di Julien, ricordarci i bei momenti senza crollare per forza. Forse potremmo riuscire ad andare avanti. Mio padre ha preso l'articolo, mia madre si è alzata per avvicinarsi. Lo hanno letto insieme, lei in piedi chinata su di lui. Mio padre lo ha finito per primo. Non ha detto niente, si è alzato ed è andato a chiudersi in bagno senza guardarmi. Mia madre piangeva, si asciugava gli occhi in continuazione, le lacrime le impedivano la lettura. Sapevo che se avessero detto di no non sarebbe stato per una questione di soldi. Non avrebbero capito, rifiutando di entrare nella mia pazzia (riconosco che è una pazzia) o prendendola come una cosa morbosa. I miei genitori non sono ricchi, ma sono risparmiatori e non facciamo vacanze costose. Andavamo dai miei nonni materni in Dordogna e basta. Non siamo mai stati all'estero, a causa di Julien. Mio padre è tornato dal bagno. Anche lui aveva pianto. Mi ha guardato. «Se mamma è d'accordo, possiamo andarci questa estate. Margaux?» Lei mi ha sorriso: «Un viaggio in Giappone con i miei uomini? Non chiedo di meglio. Dov'è di preciso questa cabina? Ce la fai vedere sulle guide?».

Mi sono chiesto se gli uomini di mia madre erano due o tre. Sarebbe logico fossero tre.

Samuel

Jeanne a Samuel

Verjus-sur-Saône,
16 maggio 2019

Caro Samuel,

ho cercato su internet com'è fatta quella cabina telefonica. È bella, con il tetto verde e le pareti bianche. Ti immagino dentro… Wow! Hai dimostrato un bel coraggio a proporre il viaggio ai tuoi genitori. Partirai con loro e dopo supererai la maturità. Lo spero, le capacità non ti mancano.

A rigor di logica, questa è l'ultima lettera che ti mando per il laboratorio. Se ti va di continuare a scriverci, ne sarei felicissima. Almeno per raccontarmi del vostro viaggio in Giappone. Della cabina del vento. Spero con tutto il cuore di avere tue notizie.

La vita ti aspetta, Samuel. Hai capito che a volte bisogna essere coraggiosi, audaci, per ottenere quello che si vuole. Cammina sempre a testa alta nella luce.

Jeanne

Nelle settimane a seguire, Jeanne ha aspettato una risposta di Samuel. Invano. Si direbbe che il ragazzo abbia riposto la penna, messo in ordine le tovaglie di carta e dimenticato Jeanne non appena il laboratorio si è concluso. Jeanne è dispiaciuta. Si chiede se in quei tre mesi le avesse scritto solo perché costretto. No, si convince, è impossibile. Non era obbligato a raccontarle la sua ultima iniziativa. Le sarebbe piaciuto proseguire la corrispondenza, o che almeno le dicesse addio. «È l'ultima lettera che ti invio» le ha scritto nel suo esercizio «Tra dieci anni». Quella frase, dunque, non era poi così lontana dalla verità.

<u>Jeanne a Juliette</u>

Verjus-sur-Saône,
17 maggio 2019

Cara Juliette,
Esther dice che dovrei trasportarmi nel 2029.
Non lo farò. Ho sessantasette anni e ci sono
delle prospettive molto più allegre che imma-
ginarmi sulla soglia degli ottanta. Il tempo
passa in fretta e non ho nessuna voglia di acce-
lerarlo. Nella migliore delle ipotesi, sarò più
debole, nella peggiore malata o morta. Parli di
programmare! Se si esagera nel voltarsi verso
il passato o nel proiettarsi verso il futuro,
si rischia di farsi del male. Godiamoci il presente. Tenere sotto controllo le mie piccole
rinunce quotidiane e tentare di porvi rimedio
mi basta.

Sono contenta che i tuoi genitori siano felici nel loro villino. Non mi permetterei mai
di incolparli di qualcosa. Io me la prendo con
chi li costruisce. Se facessero uno sforzo, co-
struendo delle case con un minimo di personalità e rispettando il paesaggio, i tuoi genitori
starebbero ancora meglio. Guardare gli alberi
al posto dei locali pattumiera condominiali,
sentire il verso degli uccelli al posto del rumore delle macchine, abitare in una bella casa
che non somiglia sotto ogni aspetto a quella dei
vicini, ecco, sono cose che contribuiscono al
benessere.

Questa settimana era l'ultima del nostro laboratorio. Spero che tu mi scriverai comunque la tua lettera «Tra dieci anni».

Ti volevo ringraziare per esserti fidata di me. Spero che avremo l'occasione di vederci. A casa mia siete sempre i benvenuti. Sono certa che Adèle si divertirà qui. Venite tutti e tre, o tutt'e due, come preferisci. In casa c'è spazio in abbondanza. Ma non ti voglio assillare troppo.

Jeanne

Juliette a Jeanne

Malakoff,
21 maggio 2019

Tra dieci anni.

Mia cara Jeanne,
dopo la mia depressione undici anni fa, vivo il mio presente con una consapevolezza e una sensibilità inedite. Aver conosciuto l'orrore mi fa apprezzare ogni momento di felicità e ne raddoppia la nostalgia non appena finisce.

«A cosa pensi, mamma?» mi chiede Adèle quando mi vede con lo sguardo perso. «A niente di speciale, angelo mio, sono solo un po' stanca.» Non è vero, penso allo spavento, quando credevo che la mia morte fosse imminente e la sentivo aggirarsi attorno a me. Sono sopravvissuta. Da quel momento, la mia vita si è rivestita di altri colori, di una nuova consistenza. Più densa, più solida. Sono viva, ma so bene com'è fatta la morte, o meglio, il terrore che scatena quando ci sfiora e ridacchia alle nostre orecchie. È quel sapore di metallo in bocca, il corpo che diventa ingestibile, le gambe che sfuggono, le mani che tremano, la mente che annega. Non potrò mai dimenticarlo. Nessuno è preparato a un'esperienza del genere. Nessuno ne esce indenne.

Stamattina, dal nostro balcone, io e Nicolas guardavamo Adèle tornare a scuola dopo le vacanze. Si è fermata sul marciapiede, ha alzato lo sguardo, ha sorriso, ci ha mandato un bacio prima di voltarsi e sparire all'angolo della strada. Ho richiuso la finestra. Io e Nicolas ci siamo guardati, mi ha presa tra le sue braccia. L'ho baciato, gli ho detto che lo amavo. Condividevamo gli stessi pensieri senza bisogno di esprimerli. Adèle, la nostra unica figlia, il cantante Michel Legrand, i miei genitori, i suoi, tutto quello che avevamo passato, anche il caffè che ci aspettava in cucina. E io, non chiedermi perché, pensavo al muro di Berlino.

Un abbraccio,
Juliette

P.S. Smettila di pensare che mi disturbi. Se fosse stato così, avrei smesso di scriverti. Grazie per l'invito. E tu, quando vieni a Parigi?

22 maggio

Cari mamma e papà,
vi chiedo scusa. Vi conosco abbastanza per sapere che siete preoccupati. Quello che mi è successo, la depressione post-partum, non la auguro a nessuno. Forse dovrei dirvi che adesso sto meglio, che non ho vissuto tutto questo per niente, che sono più forte. Ma non lo farò. Perché mi preferivo prima. Per diventare la persona che sono ora ho dovuto affrontare troppe sofferenze.

Farmi vedere da voi nel pieno della tempesta sarebbe stato troppo doloroso, non avrei potuto. Non avevo niente da rimproverarvi, non ho niente da rimproverarvi. Ma mi avreste riportato alla mia nascita. E questo bastava per volervi lontani. Non potevo aggiungere caos al caos. Mi dispiace tanto, dato che non c'entrate niente.

Ho vissuto male la gravidanza e l'arrivo di Adèle. Con lei, è tornato a galla l'essere stata abbandonata alla nascita. Si è preso tutto lo spazio. Per la prima volta in vita mia, sono crollata per colpa di quella «madre» (com'è difficile considerare quella donna mia «madre»!) che non mi ha lasciato una parola, un oggetto, una lettera d'addio mentre mi lasciava da sola. Adèle mi riportava a quel passato. Non ero capace di occuparmi di lei, amarla, proteggerla. Non dormivo più, non mangiavo più. Pur amandola, ho iniziato a odiare mia figlia.

Più niente sarà uguale.

Grazie a voi ho avuto una bella infanzia. La migliore. Sono stata fortunata. Molto fortunata.

Aver saputo che, come avete garbatamente detto a Nicolas, aspettavate il mio ritorno a casa per rivedere Adèle perché «è il nostro modo di dire a Juliette che la amiamo e la aspettiamo» ha (molto) aiutato la mia guarigione. Non oso immaginare quanto vi sia costato.

Ho tantissima, tantissima voglia di abbracciarvi, di baciarvi.

Vi voglio bene.

Juliette

Nell'appartamento regna il silenzio. Juliette solleva la valigia per non fare scricchiolare il parquet. La porta della camera da letto è socchiusa. Nicolas dorme. La luce passa appena dalle persiane. È una notte buia e senza luna. Nicolas è di spalle. Dorme profondamente, lo capisce dal respiro, pesante e regolare. Lei resta in piedi accanto al letto. Tremando, si toglie i vestiti con lentezza, un indumento dopo l'altro, senza distogliere lo sguardo da Nicolas. Si stende accanto a lui, spinge il seno contro la sua schiena, intreccia le gambe attorno alle sue, gli accarezza il viso, i capelli, il petto, la pancia, il sesso. Nicolas le prende la mano, la bacia, respira nell'incavo del palmo. Si gira, il respiro di Juliette gli accarezza il viso, riconosce il suo odore, rosmarino nei capelli, rosa e sandalo sulla pelle. Scorge al buio i suoi occhi spalancati, il sorriso, sente il suo cuore battere all'impazzata. Ha aspettato tanto quel momento.

nico-esthover@free.fr, juju-esthover@free.fr,
jeanne.dupuis5@laposte.net,
jean.beaumont2@orange.com, samsam-cahen@free.fr

Oggetto: fine del nostro laboratorio

Cari tutti,
questa mail segna la fine del nostro laboratorio. Spero
che siate soddisfatti, che abbiate notato i miglioramenti
nel corso delle settimane. Ho provato una grande felicità
nel leggere le vostre lettere. Ve lo dico sinceramente, non
mi aspettavo di vivere un'esperienza così intensa. Tutti, senza eccezioni, vi siete prestati dando molto di voi.
Sentendovi per telefono o per lettera, mi sono fatta alcune domande: siete stati fortunati nell'incontrare il giusto
amico di penna, o avreste vissuto un legame diverso ma
ugualmente forte con qualcun altro? Sarà stato il solo fatto di doversi scrivere per un laboratorio ad avervi mec-
canicamente incoraggiato ad andare d'accordo? Non lo
so. Adesso che vi conosco un po', direi che, sì, siamo stati

tutti fortunati. Ma non solo. Siamo stati anche premurosi, di nuovo senza eccezioni, ci siamo fidati. E questo è tutto per la riuscita di un laboratorio dedicato alla scrittura epistolare. Ci sono stati disaccordi, frizioni, parole dure, tutto però gestito con intelligenza. Siamo stati sinceri. Questa è stata la nostra carta vincente.

Vi ringrazio per aver creduto nel mio folle progetto. Spero con tutto il cuore che vi abbia trasmesso la voglia di continuare a scrivere alle persone che amate, anche se vivono a due passi da voi.

Un caro saluto,

Esther

Sono andata a prendere Raphaël alla stazione. Non vedevo l'ora che arrivasse. Anche se non ci aspettava niente di allegro questo fine settimana. Veniva per aiutarmi a fare ordine tra le cose di mio padre. Non volevo rendere il suo appartamento un santuario. Era arrivato il momento di andare avanti. «Devo svuotarlo e metterlo in vendita. Da sola non ce la posso fare.» Raphaël aveva accettato senza la minima esitazione. Pia aveva gentilmente proposto di aiutarci ma avevo rifiutato. Non sapevo se avrei retto il colpo, come avrei sopportato tutto.

Avevo prenotato un tavolo da Bloempot. Ci siamo andati direttamente, dopo la stazione. Raphaël mi trovava ansiosa. Gli ho confidato che il laboratorio era appena finito e non avevo più notizie di Jean. Mi sentivo in colpa per non avergli reso la vita facile nelle mie lettere. Mi aveva scritto che si sentiva solo e desiderava evaporare. Avevamo trattato l'argomento con tono scherzoso, ma più i giorni passavano più prendevo sul serio l'uscita di scena da parte sua. Raphaël trovava la storia degli evaporati stramba. Ha riso: «Che sono 'ste stronzate?». Mi sono arrabbiata. Cifre alla mano (che ora ho dimenticato), gli ho parlato di questo fenomeno comune in Giappone. «Ho paura per lui» gli ho confessato. Mio cugino è rimasto in silenzio, poi mi ha detto: «Quest'uomo ti piace, è evidente. Bene, anche se ha tutta l'aria di essere fuori di testa. E capisco anche che ora, dopo la morte di tuo padre, tu abbia paura per le persone che ami. Che possano sparire in maniera brutale. Devi smetterla». Gli ho risposto che esagerava, che si sbagliava. Mi ha sorriso.

L'indomani ci siamo svegliati presto, abbiamo fatto una colazione pantagruelica, com'era nostra abitudine caffè, succo d'arancia, fette di pane, burro leggermente salato, confettura, miele, quadrato di cioccolato fondente, uova strapazzate, muesli. Quando siamo usciti eravamo pieni come otri. Avevo già fatto scorta di scatoloni e sacchi dell'immondizia. Dopo la sua morte ero tornata solo una volta a casa di mio padre, per recuperare le mie lettere. Era un bell'appartamento con grandi stanze luminose, bei mobili in stile Restaurazione. Era elegante. Il parquet cigolava a ogni passo. Avevo fatto bene a dire no a mia figlia. Ogni oggetto o quasi mi ricordava qualcosa e mi scatenava un fiume di lacrime. Malgrado il mio dolore sono stata di un'efficacia formidabile. Stringevo i denti e procedevo a uno smistamento impietoso delle sue cose. Da una parte quello che gettavo, dall'altra quello che regalavo all'associazione Emmaüs. Un traslocatore sarebbe passato in settimana per trasportare le statue di mia madre da un amico a Dunkerque, che le avrebbe messe nel granaio di casa sua. La maggior parte erano monumentali. Mia madre scolpiva corpi femminili con seni generosi, cosce abbondanti e sederi tondi. I suoi uomini erano Ercoli dai muscoli guizzanti, il petto solido, e il sesso – non c'è altra parola per dirlo – prominente. Alcune di fattura classica, altre di formidabile contemporaneità. I suoi gattoni magnifici e inquietanti facevano pensare ai felini del giapponese Miyazaki. Contavo di tenerne due per casa mia. Ne ho regalato uno a Raphaël, il suo preferito. Mi sono chiesta come l'arte di mia madre sarebbe evoluta, se lei fosse vissuta. Ho insistito con Raphaël perché prendesse tutto quello che gli faceva piacere. È strano, ma si è portato via solo il pacchetto di sigarette ancora sulla scrivania di mio padre, delle Marlboro rosse. E una foto nella sua biblioteca. Ci sono mio padre e sua madre seduti su una barca. Sorridono all'obiettivo. Lui avrà avuto dieci anni, lei otto. Gli ho affidato gli album fotografici in attesa di riprenderli quando sarei stata in grado di guardarli.

La sera abbiamo cenato da me, poi siamo andati a bere un bicchiere a Wazemmes. Gli ho parlato di Samuel. In una delle sue lettere scriveva che svuotare la camera di suo fratello morto era stata una prova ancora più dolorosa della sepoltura. Si trattava di una vita che spariva nel giro di qualche ora, che veniva ricacciata dentro qualche scatolone e imprigionata con lo scotch. Ora intuivo perfettamente quello che Samuel aveva capito, un'illuminazione rapidissima che si dimentica presto, ma che torna solo quando si muore: la nostra vita è insignificante. Peccato che ancora la vanità dell'uomo si ostini a darle tutta questa importanza.

INCONTRARSI

Jean non ha più dato sue notizie a Esther dopo l'ultima lettera del 7 maggio, più di un mese fa. Da allora, lui e il suo avvocato negoziano passo passo le condizioni della sua uscita da Téléphonie et Digital. Non l'ha chiamata per ringraziarla. Nemmeno dopo il messaggio che gli ha lasciato. A Jean piace il timbro della sua voce. Lo ha ascoltato più volte. Non ha capito che era preoccupata. Ha pensato che lo chiamasse per dirgli addio.

Jean vuole vedere Esther, non gli importa di nient'altro. Se non succederà, si rinchiuderà nel suo appartamento, dormirà tutto il giorno, manderà giù dei sonniferi per allungare il più possibile il sonno e succeda quel che succeda. Ha prenotato tre notti all'Hotel Clarence a Lille. È esattamente quello di cui ha bisogno, salire su un treno e lasciare Parigi. Prima di incontrare Esther, vuole poterla osservare a modo suo. Se andasse nella sua libreria, correrebbe il rischio di essere riconosciuto. Lei ha la sua foto. «Vecchio mio, a cinquantatré anni è patetico. Non hai trovato niente di meglio che giocare a nascondino?» si rimprovera, una volta a bordo del TGV. Sta barando. Ma questo gioco del detective gli mette allegria e lo carica.

Dopo aver posato la valigia in hotel, visita la città. Domani tenterà la fortuna. Cena da solo in un piccolo caffè chiassoso ma carino. Rispetto a Esther, le patatine fritte con il maroilles fuso sopra non lo fanno impazzire. È contento di avere tempo, di andarsene a zonzo come e dove gli pare.

Quella notte ha il sonno agitato. La luce del sole lo sveglia presto. Ha deciso di mettersi a correre (i suoi buoni propositi). S'infila i pantaloncini, le Asics nuove di zecca e va a correre al parco Jean-Baptiste-Lebas. Va molto peggio del previsto. Si concede l'attenuante del caldo, insopportabile. Compra i giornali mentre torna in hotel, si doccia e fa colazione in camera. Cerca l'indirizzo della libreria sul cellulare e lascia l'hotel. Non vede l'ora. Almeno scorgere Esther dalle vetrine. Sapere com'è questa donna particolare a cui ha raccontato la sua vita per tre mesi, di notte, negli aerei.

La facciata è blu avio. L'insegna «C'est à Lire» è scritta in giallo curry. Jean non si attarda lì davanti. Se resta immobile sul marciapiede di fronte darà nell'occhio. Il sole gli impedisce di vedere all'interno. Aspetterà Esther in square Dutilleul, dove pranza di solito. Se sarà fortunato, ci andrà anche lei. Lui che di solito doveva rileggere più volte la sua agenda per ricordarsi gli appuntamenti, si ricorda tutto quello che lei gli ha raccontato di sé, ogni dettaglio. Non si fa illusioni. Nella sua immaginazione, Esther ha un viso, un corpo, un aspetto, una carnagione e comportamenti di sicuro molto lontani dalla realtà. Ma lui sente che la riconoscerà. Lei si siederà su una panchina e aprirà un libro. Allora lui saprà.

Nell'attesa, passeggia per il quartiere e per i giardini pubblici. Scopre l'ontano verde delle regioni subalpine e la quercia rossa americana, si stupisce nel vedere quelle piante così colorate in una città del Nord. Jean sceglie un punto un po' nascosto da dove può sorvegliare chi entra e chi esce. Verso mezzogiorno e un quarto il viavai aumenta. Coppie, ragazze sorridenti e chiacchierone, madri con bambini, due ragazzi che studiano, uomini d'affari che mangiano i loro panini in fretta con gli occhi fissi sul computer, ma nessuna donna con un libro. Ce n'è qualcuna, ma troppo giovane per essere lei. Jean non ci spera più. Inizia a considerare l'idea di tornare alla libreria quando Esther attraversa la strada e si dirige verso il parco. Impossibile non notarla. È alta e magra, il viso da Madonna è seminato di lentiggini. I capelli rossi e lunghi le ricadono sulla giacca rossa. Indossa dei jeans e, insolito per questo caldo, degli stivali di pelle nera con il tacco. Cammina con passo deciso verso Jean. Svolta all'ultimo momento, si siede proprio dietro di lui. Senza avere il coraggio di voltarsi, Jean pensa: «Questa donna è fatta per spezzare il cuore a tipi come me». Non è per niente come se la immaginava, ma è sicuro sia lei. Tutto torna. I capelli rossi di sua madre, la preferenza per le giacche rosse, il rifiuto di prestare attenzione alle previsioni del meteo. «Conto fino a centoventi e mi giro» decide. «Se la donna dai capelli rossi e con gli stivali di pelle fuori stagione sta leggendo, è Esther.» Allora si alzerà, e andrà da lei.

Jeanne riceve un pacco da Juliette con poche righe: «Cara Jeanne, ecco un'anteprima della mia ultima creazione golosa. Spero che il trasporto non l'abbia rovinata troppo. È la brioche Jeanne, pasta sfoglia al cappuccino con uva bianca confit, noci grigliate, crosta leggermente caramellata. Sono tornata a casa, Jeanne. Un abbraccio, Juliette».

Come tutte le mattine, Nicolas consulta le prenotazioni. Ci trova il nome di Jean Beaumont. Una prenotazione per due per stasera, venerdì 20 settembre. Da maggio, i due avevano messo fine alla loro corrispondenza senza salutarsi. Juliette è tornata e Nicolas non ha più pensato a Jean. Jean ha negoziato la sua uscita, preso un treno per Lille. E dimenticato Nicolas. Durante le vacanze a Noirmoutier, quell'estate, Nicolas si era ripromesso di chiamare Jean per invitarlo al Camélia. Alla fine, il rientro a Parigi è passato da un pezzo e non l'ha ancora fatto. A ogni modo, ora è tardi, Jean è arrivato prima. Lo chef ha l'abitudine di andare a salutare i clienti a fine servizio, ma per lui farà un'eccezione. Alle 20.30 in punto Nicolas viene avvertito dell'arrivo di Jean. La sua puntualità non lo stupisce. Lascia le cucine e lo raggiunge alla reception. Se lo immaginava più alto. Si sorridono da lontano, un po' imbarazzati ed emozionati. Pensano la stessa cosa. Che è facile confidarsi per iscritto con uno sconosciuto, nella vita reale molto meno.

Nicolas stringe la mano di Jean, gli assesta una bella pacca sulle spalle: «Non sai quanto sono contento di vederti!». Dalla foto non si notava che gli occhi di Jean erano così blu. La donna insieme a lui si gira per guardarlo. La conosce... è Esther.

Esther e Jean hanno preso il menu degustazione. Non hanno assaggiato il suo je-ne-sais-quoi di primavera, asparagi verdi, ricci di mare, salsa tarama alla citronella, il piatto forte della stagione.

L'indomani a casa, a colazione, Nicolas ride da solo.

– Perché ridi? – gli chiede Juliette.

– Ti ricordi che ti ho detto che Jean aveva prenotato al ristorante, ieri? Indovina con chi è venuto.

– Non ne ho idea.

– Con Esther!

– Esther del laboratorio? Stanno insieme?

– Sì. Da tre mesi. È andato a trovarla a Lille, e boom!

– Bello, no?

– È fantastico, vorrai dire. Avresti dovuto vedere la mia faccia, ti saresti messa a ridere come loro. A essere onesto, non avevo tanta voglia di essere amico del Jean Beaumont depresso. Ci invitano a Lille. Ti va?

– Sì, mi piacerebbe molto. Era Adèle per caso? Vado a controllare se si è svegliata. E quindi si è trasferito a Lille?

– No. Fanno avanti e indietro tra Lille e Parigi, ma è soprattutto lui che si sposta, non lavora più.

– Dorme ancora. Ci hai chiacchierato?

– Sì sì. Sono rimasti un po' dopo la chiusura.

– Com'è andata?

– Benissimo. L'imbarazzo è durato poco. Non lo conoscevo prima, Jean, ma ho l'impressione che aver smesso di lavorare ed essersi innamorato lo abbia trasformato. Era il tipo che ti appesantiva la giornata con una sola lettera.

Come dice Esther: «Questo dimostra che Jean ha un certo talento».

– Avete parlato del laboratorio?

– Sì. Le ho detto che Jeanne è venuta a passare un week-end a Parigi e che l'avevamo invitata al Camélia. Esther era molto contenta per lei. Pensa che Jeanne soffra di solitudine, contrariamente a quello che vuole far credere. Mi ha anche ricordato che noi, alla fine, non ci siamo scritti le lettere del «Tra dieci anni». Non capisce perché abbiamo trovato strano continuare a scriverci anche dopo che sei tornata a casa.

– Organizzerà un altro laboratorio?

– Ah, non gliel'ho chiesto. Ma le piacerebbe riunire le nostre lettere e proporle a un editore, se siamo tutti d'accordo. Secondo lei, noi siamo... aspetta, che parole ha usato ieri sera?... degli «strani personaggi». Dice che il laboratorio ha avuto notevoli conseguenze nelle vite di tutti.

– Tu accetteresti?

– Perché no. E tu?

– Ah... Non saprei.

LA CABINA DEL VENTO

15 settembre

Cara Jeanne,
sono tornato dal Giappone. Siamo partiti il 18 agosto, i voli erano un po' meno cari dopo il 15. Quando i miei hanno visto il costo dei biglietti, anche se con due scali, ho avuto paura che cambiassero idea e che non saremmo più partiti. E invece no. È stato top! Siamo arrivati a Tokyo, dove siamo rimasti quattro giorni, ospiti di un vecchio collega di mio padre. Abitava un po' lontano dai posti carini da vedere, ci siamo sparati un bel po' di viaggi in autobus, ma è stato figo lo stesso. È la città che mi è piaciuta di più. I miei hanno preferito Kyoto. Ho adorato i ristoranti col nastro con sopra i piatti, e anche mia madre. Siamo saliti sulle torri, abbiamo passeggiato per Akihabara, il quartiere elettrico di Tokyo, girato per negozi, boutique kawaii, game center, visitato parchi, templi e un cimitero. Al cimitero ci teneva mia

madre. Una settimana prima di partire non sapeva niente del rapporto che i giapponesi hanno con i loro defunti, ma cercando degli indirizzi su internet ha trovato dei blog che ne parlavano. Non c'era modo di farla interessare ad altro, anche se a noi non diceva niente. Me lo ha confessato solo dopo, in un cimitero di Kyoto, che le piace molto l'idea che i vivi parlino con i loro defunti. Le sono piaciute anche le statuette vestite di rosso, a cui abbiamo fatto delle offerte, che sono un po' ovunque nei cimiteri perché vegliano ciascuna su un morto. Ci sono altari, lanterne, torri con le campane, pannelli di legno sui quali si scrivono le preghiere. È un po' stupido quello che ti dirò, ma ho trovato tutto molto... vivo. Nei loro cimiteri non si respira solo la disgrazia. Certo, c'è tristezza, ma anche pace. Viene voglia di credere agli spiriti, ai segni. In questo io e mia madre ci somigliamo, ci piace molto quest'idea dei morti con un piede ancora tra i vivi. In Francia, i morti si piangono, si ricordano, si puliscono le loro tombe, ma non devono venire a disturbarci, ci fanno paura. Mio padre ci accompagnava, ma non era molto nel mood. Dopo Tokyo siamo partiti per Kyoto su un treno velocissimo che chiamano Shinkansen. Avevamo preso in affitto un appartamento grazie all'amico di papà. Non era grande, ma carino. Magari averne uno simile a Villejuif. Comunque, proveremo a dare un tocco giapponese a quello che abbiamo. Mio padre ha adorato visitare i templi. Io, mi sono stufato

molto presto. Belli, sì, ma quando ne hai visti
due li hai visti tutti. Con i miei genitori, più
passavano i giorni e meno eravamo tesi, anche se
non parlavamo di Julien. Per paura che uno di
noi si mettesse a piangere e rovinasse il viaggio. Visto il nostro modo di parlarci, a volte
potevamo dare l'impressione di stranieri che si
sono appena conosciuti. Una mattina gli ho detto
che volevo presentarmi alla maturità da privatista. Non mi avevano chiesto niente dei miei
colloqui con la consulente per l'orientamento.
Addirittura mi chiedevo se mio padre non se lo
fosse scordato. Penso di averli informati per
darmi un tono, perché volevo fossero contenti
di me. So che non è chissà cosa, ma di fatto è
diventato vero nel momento in cui lo dicevo. E
allora l'idea mi è piaciuta. Non avrei potuto
renderli più felici. Mio padre mi ha detto che
aveva dei colleghi che potevano darmi una mano.

Poi è arrivato il momento di partire per Ōtsuchi. Avevamo fatto il viaggio apposta, ma penso
che in fondo tutti e tre la trovassimo un'idea
ridicola. Nessuno ha avuto il coraggio di dirlo,
così siamo saliti sul treno. Una volta arrivati,
abbiamo girato un po', ma avevamo in mente solo
quello Julien, il telefono del vento. Abbiamo
chiesto indicazioni. Faceva caldissimo, ma c'era
vento. Mostravo le foto dell'articolo e le persone mi indicavano senza esitazione la vetta di
una collina un po' più lontano. Camminavo davanti ai miei genitori. All'improvviso me la sono
trovata davanti. Era proprio lei, tutta bianca

con il tetto verde, immersa nella campagna. Ho visto il vecchio telefono nero posato sulla mensola e il quaderno accanto. Mia madre è arrivata alle mie spalle, ha guardato la cabina e si è lasciata andare a un riso nervoso. Ha alzato gli occhi al cielo. C'erano le nuvole. Mio padre ha fatto il giro intorno alla cabina, poi mi ha detto: «È una cosa incredibile, un telefono in mezzo al nulla. Non so cosa vuoi fare tu, Sam, ma ora io ho bisogno di un po' di tempo prima di entrarci. Mi vado a sedere da qualche parte... ecco, lì, prima la voglio disegnare». L'abbiamo guardato allontanarsi. Eravamo contenti che la cabina gli avesse fatto venire voglia di disegnare. Ho chiesto a mia madre se voleva entrarci per prima. Sapevo che non saremmo entrati insieme, non eravamo ancora pronti. Era troppo difficile, ci vergognavamo troppo, ci eravamo tenuti a distanza per troppi anni per essere capaci di una cosa del genere, parlare a una sola voce a un morto e condividere le lacrime. Mi ha risposto: «No, vai tu. Ma se preferisci aspettare non c'è problema, abbiamo tutto il giorno. Io non voglio rovinare questo momento». Non ho osato chiederle cosa volesse dire. Cosa avrebbe reso il suo passaggio nella cabina un successo o un fallimento. Io ero pronto. A modo mio. A dire cose senza riflettere. Sono entrato nella cabina e ho chiuso la porta. Ho immaginato che i miei genitori mi stessero guardando. Gli ho dato le spalle e ho chiuso gli occhi. Sentivo il legno, l'erba, l'umidità. Ho sollevato il ricevitore, me lo sono incollato all'orecchio. Ovvio che non c'era Julien dall'altra parte. Ho ripensato alle testimonianze sul giornale. C'era uno che diceva: «Vorrei sentirti dire "papà" un'altra volta». Un altro: «Voglio sentire le tue risposte, ma non sento niente». Tutti speravano, ma tutti sapevano che avrebbero sentito soltanto silenzio. Ciò non toglie che c'era una strana atmosfera dentro la cabina. Forse a causa di tutte le persone che si raccoglievano lì, in quel rifugio che accoglieva la speranza e il dolore, la vita e l'aldilà, le parole per i nostri morti. Te lo giuro, Jeanne, che è vero. È una cosa che si sente.

Forse se i miei genitori non fossero stati lì, mi sarei messo a piangere. Confesso di essermi trattenuto. Ma gli ho parlato, a Julien. C'era un casino nella mia testa. «Vedi, l'abbiamo fatto il viaggio. Ti abbiamo portato con noi fino a qui. Spero di aver capito bene quello che volevi. Leggo i tuoi libri e quando li finisco li rimetto dov'erano. Eri duro con me, lo sai. Ma lo capisco. Anche io lo sarei stato se mi fossi beccato il cancro. Ma comunque ci sono stati momenti in cui siamo stati bene insieme, te li ricordi? Quando stavamo dai nonni, quanti bei ricordi. Le capanne, nascondino e quando giocavamo a calcio con papà. La piscina quando aprivano lo scivolo, le storie che faceva mamma. Quanto vorrei che mi dessi un segno, solo per dirmi che dove sei stai bene. O meglio, dillo a mamma e papà. Ho deciso che non mi sentirò più in colpa per la tua morte. Non c'è motivo. Sono sicuro che sei d'accordo. Adesso ti scrivo qualcosa sul quaderno. Per te, ma anche per mamma e papà.»

Ho scritto: «Ci tocca imparare a vivere senza di te. In tre invece che in quattro. Mi mancherai per tutta la vita».

Sono uscito. Era finita.

Mio padre disegnava. Mia madre mi ha raggiunto. Le ho detto che avevo scritto qualcosa nel diario del telefono e che poteva leggerlo. Mi ha chiesto se mi aveva fatto bene entrarci. Sì, le ho detto sì. Mi ha sorriso. È entrata. Ha preso il ricevitore. Io sono andato a sedermi sulla panchina per guardare il paesaggio. Mi sentivo bene. Avrei voluto vedere il proprietario della cabina, ma non c'era. Mia madre è rimasta a lungo là dentro, almeno venti minuti. Quando è uscita è venuta a sedersi accanto a me, non ci siamo guardati. Mi ha preso la mano, l'ha posata sulla sua guancia e mi ha detto grazie. Mi sono girato. C'era mio padre che incollava il suo disegno nel quaderno. Si era portato lo scotch da casa. Aveva previsto tutto. Credo che non abbia provato a parlare a Julien. È uscito subito, mi ha detto che potevo andare a vedere il disegno se mi andava. Allora ci sono tornato. Aveva disegnato la cabina con gli alberi intorno. All'interno c'ero io, ma non ero da solo. Julien era dietro di me e mi abbracciava. Ci aveva disegnato con gli stessi vestiti, quelli che indossavo quel giorno. Sorridevamo. La differenza era che aveva insistito di più sui contorni della mia figura, mentre quelli di Julien erano più sfumati. C'è una foto di noi due da piccoli nella stessa posizione. L'avevo dimenticata. Mi sono chiesto che fine avesse fatto. Mia madre non aveva scritto niente. Ho fotografato il disegno con il cellulare.

Prima di partire per il Giappone stavo per portarmi un romanzo di Julien di uno scrittore giapponese. Mi sembrava logico, ma ho voluto rispettare quello che mi ero detto, leggerli uno dopo l'altro da sinistra a destra. Così sono partito con *Il mondo secondo Garp* di John Irving. Al ritorno, sull'aereo, ho letto la scena dell'incidente, quando Garp è nella macchina con i figli, Walt e Duncan. Walt muore. Duncan non ha più fratelli. Ci ho visto un segno.

Spero che tu stia bene.

Samuel

Voglio ringraziare in modo particolare Éric e Lou. E anche Anne-Marie, mia madrina, Geneviève Metge e Florentine Rey, scrittrici e animatrici di laboratori di scrittura a Lione da Paragraphe. Nathalie Gonzalez, per il sostegno. Infine, la mia carissima editor, Caroline Lépée.

L'articolo «Le téléphone qui parlait aux morts» citato a pagina 260 è apparso sull'«Obs» il 14 giugno 2019.

La domanda «Da che cosa ti difendi?» è tratta da *Garçon, de quoi écrire* di Jean d'Omersson e François Sureau (éditions Gallimard/Folio).

Finito di stampare nel mese di dicembre 2021 presso
Grafica Veneta – via Malcanton, 2 – Trebaseleghe (PD)

Printed in Italy